THE
SHETLAND
DICTIONARY

THE SHETLAND DICTIONARY

JOHN J. GRAHAM

THE SHETLAND TIMES LTD
LERWICK
1993

564699

ISBN 0 900662 93 X

© John J. Graham, 1993

First published 1979
Revised edition 1984
Reprinted 1986, 1989

This revised edition first published by
The Shetland Times Ltd 1993

British Library Cataloguing-in-Publication Data
A catalogue record for this book is available from the British Library

Printed and published by The Shetland Times Ltd
Prince Alfred Street, Lerwick, Shetland ZE1 0EP

CONTENTS

ACKNOWLEDGMENTS

A NYONE with an interest in the Shetland dialect must inevitably find an endless source of information in the works of Jakob Jakobsen and James Stout Angus, and I wish to record my appreciation of the invaluable help their respective dictionaries have been to me. I am also greatly indebted to William Grant and David Murison who, in their monumental work *The Scottish National Dictionary*, have placed the Shetland dialect in the wider context of the Scottish, English and Scandinavian languages.

I wish to thank Laurence Graham, Derick Herning and Tom Moncrieff for valuable advice and assistance.

Acknowledgments and thanks are tendered to the following for their courtesy in permitting quotations of copyright matter: Laurence Graham for a passage from *Flans Frae da Haaf*; Pat Robertson for passages from *The Collected Poems of Vagaland*; Rhoda Bulter for passages from *Doobled-Up*; and William J. Tait for a passage from *Poem*.

ABBREVIATIONS

adj	adjective	n	noun
adv	adverb	p	proverbial expression
aux v	auxiliary verb	pp	past participle
conj	conjunction	prep	preposition
esp	especially	prt	present tense
gen	generally	pt	past tense
i	idiom	v	verb
interj	interjection		

PREFACES

PREFACE TO FIRST EDITION

I HAVE attempted in this Dictionary to present a picture of the Shetland speech as I have known it during the middle decades of the twentieth century. Only words and expressions which I have personally encountered are included. This means that it is essentially the dialect of the central area of the Shetland mainland which is represented.

Since meaning seldom resides in the single word I have in most cases placed words into a colloquial or literary context.

More and more people today are interested in enriching their knowledge of the dialect, and it is hoped that the English-Shetland section will be useful for that purpose.

J.J.G.

PREFACE TO SECOND EDITION

THIS Second Edition gives me the opportunity of including in Addenda a number of words omitted in the first edition. These are inserted at the end of each alphabetical section. I am indebted to a number of people, particularly Rhoda Bulter through her excellent "Laeves fae Beenie's Diary" in *Shetland Life*, John Copland, Sullom, and Bertha Inkster, Baltasound, for enriching my word store.

The English-Shetland section has been substantially enlarged, mainly through the efforts of Dr Hamish Bowie and Derick Herning, to whom I wish to express my sincere thanks.

J.J.G.

PREFACE TO THIRD EDITION

WHEN I produced the First Edition fourteen years ago I based the selection on words I had personally encountered. As the years rolled on I have encountered more and more dialect words, from conversation, reading, and often from those who stop me with the comment: "I winder if du's heard dis aald wird." To everyone who has contributed a word here and there I would offer my sincere thanks.

This Edition contains over three hundred more words than the First Edition and about one hundred and fifty more than the Second.

The English-Shetland section does not always contain the exact English equivalent meaning of the word but provides a reference back to the Shetland word which will be more clearly defined.

J.J.G.

INTRODUCTION

INTRODUCTION

Historical

THE Shetland dialect is an amalgam of Norse, Lowland Scots and English, each element reflecting a period in the island's history dominated by these respective nations.

From the ninth century, when the Norse colonisation of Shetland began, until well into the seventeenth century, the Shetland people spoke a variant of the Scandinavian tongue which became known as Norroena (Northern) or Norn.

In 1649 the islands were handed over by the Danes to Scotland as the dowry pledge of the Princess Margaret of Denmark when she was married to King James III of Scotland. At first, Scottish influence made its mark slowly on Shetland. Then, towards the end of the sixteenth century, after the Reformation, an increasing influx of Scottish clerics and land-hungry free-booters, together with their retainers, accelerated the process of scotticisation. By the early seventeenth century Shetland's Scandinavian culture was under direct attack. In 1611 the Privy Council proscribed Scandinavian laws as 'foreign' and decreed that Shetland be subject to Scottish laws. The following year the first Scottish court sat in Scalloway under Bishop James Law as Sheriff and Justice of the islands. While laws and procedures which had evolved over centuries were being dismantled, groups of predatory Scotsmen exploited the inevitable legal and administrative confusion which the Shetlander found himself in. Land was grabbed and large estates built up. Shetland society was in turmoil and the Shetland people bewildered and insecure.

The Scottish tongue, now used in Church and law court and rapidly becoming the language of commerce, soon supplanted the native Norn which no longer had any recognised status. Shetlanders had no option but to come to terms with their new situation and learn the new language. By the end of the century they were bilingual. A Dunrossness minister, writing in the 1680s, reported that the people of Cunningsburgh '. . . seldom speak other (than Norn) among themselves, yet all of them speak the Scots tongue more promptly (fluently) and more properly than generally they do in Scotland.'[1]

In making this accommodation they were automatically acknowledging the importance and superiority of Scots and, at the same time, accepting the inferiority of their native speech. An Unst rhyme, preserved from the

the eighteenth century, reveals this feeling of inferiority. A Shetland parent is showing his pride in his son's ability to speak Scots after a visit to Caithness:

> De vara gue tee,
> when sone min guid to Kadanes:
> han can caa rossa mare,
> han can caa big bere,
> han can caa eld fire,
> han can caa klovandi taings.[2]

This says: 'It was a good time when my son went to Caithness. He can call "rossa" "mare" and so on.

Apart from its sociological message the rhyme is an interesting illustration of the hybrid state of the Shetland speech at this time. Certain Norn features such as the pronouns 'de' and 'han', the possessive 'min' and the verb 'var' have been retained but at the cost of the general grammatical structure which is predominantly English. The Scottish element is seen in the new nouns the boy has learned, the verbs 'guid' and 'ca', the conjunction 'when' and the preposition 'to'. The three languages are inextricably intertwined but there is no doubt as to which are the dominant partners.

What made the transition from Norn to Scots all the easier was the fact that the Scots language contained many Scandinavian borrowings and therefore both languages had numbers of identical words, such as O.N. kirna/Sc. kirn = churn; O.N. byggja/Sc. bigg = to build; O.N. hepti/Sc. heft = handle; and O.N. illr/Sc. ill = bad.

The first part of the language to break down under the influence of Scots would have been the grammatical structure, particularly the Norn case-endings which had no parallel in Scots. For example, in the Fetlar rhyme about the troll-child in the horn which Jakobsen collected, the line

> 'My midder kaller o me'

would originally have been in the Norn:

> 'Min móðir kallar á mik.'

The version which lingered on has lost the Norn possessive 'mín' but still retains the Norse verb-ending -ar, a form of the old preposition, and the personal pronoun 'mik'.

A number of words retained the old grammatical endings in a fossilised form. For example, the masculine nominative -r remains in 'goger' = a large nail; 'shalder' (O.N. tjaldr) = the oyster catcher; and 'gouster' (O.N. gustr) = strong, gusty wind.

Conjunctions, pronouns, common verbs and abstract nouns would have gradually disappeared, while nouns, particularly those describing everyday objects and phenomena, would have tended to persist.

The weak masculine nominative -i has also been preserved in words such as 'hegri' (O.N. hegri) = the heron; 'skori' (O.N. skari) = the gull; and caavie (O.N. kafi) = dense snowfall.

It was the eighteenth century, however, which saw the final disintegration of Norn as a language. The Rev. John Brand visited the islands in 1699 and commented that 'English is the Common Language among them (the Shetlanders) yet many of the People speak Norse or corrupt Danish, especially such as live in the more Northern Isles, yea so ordinary it is in some places, that it is the first Language their Children speak.'[3] Although still going strong in the remoter isles the language was obviously breaking down in the Mainland.

This process was accelerated by the growing influence of church and school. After Brand's visit the Presbyterian system was more firmly established. He and his Commission from the General Assembly found that 'In the matter of God and Religion the Body of the People are said to be very Ignorant' and gave instructions to the clergy to set about putting their house in order immediately. To this end a series of presbyterial fact-finding visitations was ordered. These visits produced a mounting catalogue of derelict buildings, irregular celebration of communion, immorality among the people, and a complete absence of schools beyond the very few established privately for the education of the children of ministers or gentry.

Presbytery began to take active steps to improve this ramshackle organisation so that, as the century progressed, the Church gathered more and more strength. And as the Church grew strong so did the influence of English — the language of pulpit, Bible and Kirk Session records. In the schools, reading was the main preoccupation. The Word was central to all Presbyterian teaching; the ability to read the Word was of the greatest importance; and it so happened that the Word as presented in the Bible was in English.

Presbytery petitioned for and obtained schools from the Society in Scotland for the Propagation of Christian Knowledge, the first of these being opened in Walls in 1713.[4] These schools were really support organisations for the Presbyterian Church, their main aim being to promote religion through an understanding of the Bible and Catethism. The general impact of this campaign can be gauged from the attitude of a Walls man who, in 1737, requested the Kirk Session[5] to provide him with a Bible so that he might instruct in reading two fatherless children fostered upon him.[6] A remarkable change from the picture drawn by Brand a generation earlier.

English became increasingly predominant as the formal and, by implication, the more correct mode of speech. A mixture of Norn and Scots words, some Scottish grammatical constructions, and a distinctive pronunciation persisted, but the overall pattern of the dialect became more and more English. The S.S.P.C.K. schools had much to do with this. In 1774 the Rev. George Low reported that in Orkney 'their (the Orcadians) language (is) the Norse . . . and disused only within the present age, by means of the English schools erected by the Society for the Propagation of Christian Knowledge'. It was an oversimplication for Low to make the Society schools entirely to blame, but they certainly helped to accelerate the process of anglicisation already at work through other agencies in local society.

The following year, Low found in Shetland a similar state of affairs although, in places, he discovered that the Norn tradition had not quite faded out. In Foula, he found that Norn 'is much worn out . . . yet there are some who know a few words of it; it was the language of the last age, but will be entirely lost by the next'.[7] Whilst in Foula he was fortunate in recording a Norse ballad *Hildina* which he copied down from the recitation of William Henry of Guttorm. *Hildina* is a unique remnant of an oral literature plucked from extinction by the chance recording of an old man whose memory retained thirty-five verses of a ballad handed down to him by his parents in a language he could not understand. The first verse, as phonetically rendered by Low, is:

> Der var a Jarl in Orkneyar
> For frinda sin spur de ro
> Whirdi an skilde meun
> Our glas buryon burtaga.

(There was a Jarl in Orkney who asked advice from a relative whether he should rescue a maid from her difficulty, from the glass fort.)

The S.S.P.C.K. continued to establish schools in Shetland during the eighteenth century and, from 1765 onwards, parochial schools were set up. Money for educational provision was slow in coming from the landowners but, with fairly constant pressure from the Church and an obvious enthusiasm for learning on the part of the people, the standard of literacy in English increased dramatically. In 1826 a survey[8] of seven of the twelve Shetland parishes revealed that 76% of all persons over eight years of age could read. Such predominance of English as the officially recognised form of communication could only mean a corresponding decline in the status of the dialect. In the Hebrides, where Gaelic was still the first language of the people, the survey found only 30% literate in English.

The establishment of the Board schools throughout Shetland, following the passing of the first compulsory education act in 1872, further weakened the dialect. Most of the new schools were staffed by teachers from outwith Shetland who had little or no knowledge of the local speech and, more often than not, tended to regard it as a threat to their educational ideals of formal English and a broadly based culture.

Newspapers, parochial libraries, cheap books and improved communications all rang the knell of the old culture. Laurence Williamson, a scholarly crofter from Yell, states in a letter written in 1892: 'More generally I would say that it ever broods over my mind and heart that such mass of lore belonging to our native Isles, folklore, linguistic matters, traditions, living historical matter, enough in the hands of some genius to form a small literature or wealth of poetry, should be year by year slipping into the grave. This is a transition time such as never was before. The old Northern civilisation is now in full strife with the new and Southern one, and traditions, customs, which have come down from hoary antiquity, are now dying for ever. The young don't care for their fathers' ways. I mean what was estimable in them. The folklore and family traditions and picturesque stories yield fast to the *People's Journal, Glasgow Mail, Ally Sloper's Half Holiday* and such like'.[9]

This Shetland in transition that Williamson was describing was the Shetland that the Faroese scholar, Jakob Jakobsen, came to in 1893. He too saw the symptoms of decline: 'What is to be done must be done now; for the last ten years have destroyed more of the old material than the preceding thirty.'[10] But, even so, he enthused over the riches still to be found: 'The view, supported by various authors, that the Shetland dialect is merely English with some few Norse terms for tools and objects in common use is quite false, for there (is) . . . a whole mass of words which penetrate the whole language, in every case the language of the older generation and those who live away from the main centre.'

Jakobsen's exhaustive researches from 1893-95 produced 10,000 words of Norn origin still extant, although half of them were not in general use and known only to older people or in remote corners of the islands. From this collection Jakobsen produced his *Etymological Dictionary of the Norn Language in Shetland*, a monumental piece of scholarship which places every student of the Shetland dialect in his debt.

The words and expressions he found were mainly, as might be expected, nouns describing objects of everyday life, types of weather, and the state of the wind and sea. Many of these words, part and parcel as they were of the lives of crofters and fishermen, survived well into the present century, and some are still current. For example, the various types of wind: 'pirr' — light wind in patches; 'laar' — light wind, more diffused; 'flan' — a sudden squall; 'bat' — a slight gust of wind; 'guff' — a strong puff of wind; 'gouster' — a strong, gusty wind; and 'vaelensi' — a strong gale.

Another sizeable class of words found by Jakobsen described whims, ludicrous behaviour, unbalanced states of mind and generally the less attractive aspects of the human character. These included 'glafterit' — boisterously jolly; 'halliget' — wild; 'himst' — huffy, touchy; 'perskeet' —

prim; 'raamist' — peevish; 'snippm' — surly; 'traachie' — cantankerous; 'traawirt' — perverse; 'trumskit' — sulky; 'uploppm' — impetous; and 'vyndless' — clumsy.

An intriguing category of words, now completely obsolete but still in circulation at the close of last century, dealt with the fishermen's superstition that certain things were taboo at sea and alternative descriptive terms had to be used. In looking for synonyms to describe a taboo object, the nineteenth-century fisherman had a ready source in the old Norn words which had been thrust out of everyday use by their Scots or English equivalents, and in their state of linguistic limbo had acquired an aura of the remote and mysterious. These fishermen obviously regarded any reference at sea to the Christian religion as offensive to the pagan spirits of the deep. The minister was referred to as 'da upstaander' and the church as 'da benihoose' (bön-hoose = prayer house). Names of domestic animals were taboo at sea. The cat was referred to as 'da footin' or 'da skavnashi' (nose-shaver); the cow was 'da boorik' (bellower); the boat was 'da faar' (conveyance); the mast was 'da stong' (the stick); and the sail was 'da skegga' (clout). To sharpen the knife at sea was to 'glaan da sköni'.

These picturesque fossils of an ancient language have now gone, and with them many other words and expressions which Jakobsen heard being used daily as he moved around Shetland. The twentieth century has seen a rapid increase in the decline of the dialect. As society and our material culture change so does language have to adapt to keep pace with the changes. Shetlanders no longer live in thatched houses and fish the far haaf with sixerns, and inevitably the words which described these conditions have become obsolete.

Other factors conspired against the dialect, chief amongst them being the educational system. During the first half of the twentieth century, teachers deliberately set their face against the local speech as being a crude and inferior mode of expression. 'To speak proper' was to speak English, and conversely Shetland speech was 'improper' and to be avoided if one wished to get on. In the bleak economic climate of the 1920s and 30s, when virtually the only way to get on was via the educational ladder, this was a particularly insidious doctrine. In the eyes of many Shetlanders the dialect came to be associated with all that was backward and outmoded.

But a mother tongue is not easily eradicated. Although unheard in the classroom, in public utterance or on official occasions, it still persisted in the playground, the home and in social groups. Shetlanders cultivated a bi-lingualism which enabled them to communicate on two levels, although in social terms there was no question but that the dialect was on the lower level. While the use of English to strangers was justified ostensibly as 'good manners' this custom was undoubtedly a tacit recognition of the socially inferior role to which the dialect had been relegated.

A rough estimate of the rate of decline during this period can be obtained by comparing what Jakobsen found with the state of the dialect at later periods. If we take H-words as fairly representative, we find that he collected 720 words of which, by his own estimation, approximately 360 would have been in common use in the 1890s. In 1949 — fifty years later — I counted 107 words with which I was familiar. In 1979, a twenty-one-year-old Shetlander brought up in the central Mainland could identify 65 words. This suggests that, contrary to common assumptions, the rate of decline has been less during the past thirty years than in the previous fifty.

In fact, it is only since the 1950s that the Shetland speech and speaker has acquired a measure of respectability. The important post-war reports on education in Scotland emphasised 'the fundamental truth that education must be rooted in reality, finding its material and its starting point in the environment of the child.' And what more fundamental part of the environment is there than the language heard and spoken since early childhood?

In response to a request from local teachers, Zetland Education Committee published two books for use in Shetland schools, *Nordern Lichts*, an anthology of Shetland verse and prose, and *The Shetland Book*, a compendium of local history, geography, flora, fauna, geology.

In the late 1960s an upsurge in the fishing and knitwear industries created a new feeling of confidence and self-respect in Shetland.

The advent of Radio Shetland in 1977 gave an added boost to the dialect. In its programmes the Shetland tongue is regularly heard alongside the English, demonstrating that it is not only socially acceptable, but a valid and vigorous means of communication. It is ironic that in the late 1970s when the dialect has lost much of its basic vocabulary it should have found a status it has not had for at least a century.

The continued vitality of any speech depends on the extent to which it is used in everyday life. As long as it is found to be a natural and effective vehicle of communication it will survive.

Grammar

THE Shetland dialect speaker today uses a form of speech which is recognisably distinctive by its vocabulary, grammatical structure and pronunciation.

The vocabulary, as has already been pointed out, is predominantly English with a proportion of Scots and Norse words dependent on the age and district of the speaker. The grammatical structure is also mainly English, but the dialect still retains certain patterns of speech inherited from its Norse and Scottish antecedents.

In common with any recognised form of speech, the Shetland dialect has a consistent pattern of usage — a grammatical form which exists in everyday speech and in dialect writing. Those who regard the Shetland dialect as 'broken' or 'corrupt' English will no doubt dismiss the notion that it can have a grammar. They usually subscribe to the idea that there is one 'correct' version of speech based on a pre-ordained grammar, any deviation from which is 'slang' or, in this case, 'bad English'. But grammar is descriptive and not prescriptive. Speech developed in a particular area over a period of time will naturally acquire distinctive patterns and fairly consistent forms of usage. Some of these patterns and forms are as follows:

The definite article is 'da', as in 'da day', 'da lass', 'da boat', 'da wadder.

As in Scots, it is used with a number of nouns where in English it would be omitted. For example, 'gyaan ta da kirk/da scöle'; 'gotten da measles/da caald'; 'I winder if da denner/da tae is ready'.

Nouns: The plural form of nouns is, as in English, generally formed by adding -s, but there are several old forms, such as 'kye' — cows; 'een' — eyes; 'owsen' — oxen; and 'shön' — shoes.

Pronouns: The second personal pronoun has two forms: one of respect — 'you' — and one of familiarity — 'du'. The familiar is used so widely that in most areas it becomes quite automatic for the speaker to switch from 'you' to 'du' as the occasion demands. A child will, for example, ask a teacher, "Will you please give us the ball?', then turn round and say to his friend, 'Is du comin ta play?'

The familiar 'du' is used (a) when addressing a friend — 'Whaar's du gyaan da day?'; (b) when speaking to someone younger — 'Will du tell dy midder I'm comin'; and (c) when speaking to animals — 'What's yun du's aetin, dog?'

The familiar takes the singular form of the verb, as 'du is', 'du tinks', 'du comes' instead of 'you are', 'you think', 'you come'. In recent years the distinction between the two forms has become blurred, so that today 'du' is often used indiscriminately by younger people.

The possessive pronoun 'dy' is, in its various forms, similar to English 'thy': dy, dee, dine = thy, thee, thine. 'I hoop dy bairn is as göd ta dee is my ane has bön ta me.'

The relative pronoun is 'at' instead of English 'who', 'which' or 'that' — 'Yun was da boat at rescued da man'.

Verbs: The auxiliary verb 'ta be' is used instead of the English 'to have'. For example, instead of 'I have written', 'We have finished', the Shetlander will say 'I'm written' and 'Wir feenished'. This may be a relic of the O.N. use of the auxiliary verb 'to be' as in 'ek em kominn' — 'I have come'.

The auxiliary verb 'to have' takes the form 'a' in the dialect when used with 'could', 'hed', 'micht', 'most', 'sood' and 'wid'. For example, 'I could a come yesterday', 'If it hed a bön me, I wid a gien an met her', and 'Hit micht a mirackled him'.

One can still hear the old Scots usage by which, in making a statement, the verb ends in -s. This occurs (a) when the subject is a noun — 'Brunt bairns dreeds da fire', 'Aald folk is twice bairns', 'Far fled fools (birds) has fair fedders', 'Da bairns comes hame neist week'; (b) after a relative pronoun — 'Dey lang at lippens', 'Dem at comes first 'll be weel aff'; and (c) when the subject is a pronoun separated by a clause or phrase from the verb — 'Dem at comes last jöst gits da sam'.

The form 'der' is used for both 'there is' and 'there are'; and 'dey wir' is used for 'there was' and 'there were', as in — 'Der far owre muckle noise', 'Der a lock o fock here', 'Dey wir a coarn o sun eftir denner', and 'Dey wir twartree bairns playin ida burn'.

This form may well have its origin in O.N. usage. 'Der' could be a contraction of 'der ir', the 'de' coming from the O.N. pronoun de = it (as in the first line of the Norn fragment on page xiv): 'De vare gue ti' — 'It was a good time'. The modern Norwegian 'Det er' = there is/are has obvious associations.

Many verbs are used reflexively, as in: 'Lass, set dee doon' (an invitation to be seated), 'As a man maks up his bed sae lays he him doon', and 'Lay dee doon, dog'.

The auxiliary verbs and a number of monosyllabic verbs can be made negative by adding -na, as in — 'canna', 'couldna', 'dönna', 'didna', 'soodna', 'haena', 'tellna', 'saidna', and 'tochtna'.

As in English, the past tense and past participle of verbs are formed by adding -ed, but some verbs take -t or -t, as

fill	filt	filt
hock	hockit	hockit

A number of verbs are conjugated differently from their English cognates and follow the Scottish pattern. These include:

bear (endure)	bör	borne
begin	begöd	begöd
bide (stay)	bed	bidden
bind (tie)	band	bund
bite	bet	bitten
brack	brook	brocken
burn	brunt	brunt
cast (throw)	cöst	cassen
dö (do)	did	dön
flite (scold)	flet	flitten
geng (go)	göd	gien
greet (cry)	gret	grutten
hadd (hold	höld	hadden
jimp (jump)	jamp	juppm

lat (let)	löt	latten
rise	rase	rasen
shaer (shear)	shör	shorn
strick (strike)	strack	strucken
tak (take)	took	tön
win (get)	wan	wun

If vocabulary gives body to a language and grammar shape, it can be said that idiom provides its distinctive character. These clusters of words, usually combinations of verbs and prepositions, have a long history, and several in the Shetland dialect go back to Norn and old Scots origins. Because of their origins in language with different syntaxes from English they are out of phase with contemporary word order and are, therefore, not readily translatable. For example, a literal translation of 'wi dat sam' into English 'with that same' is meaningless. Its meaning — 'at that moment' — is identical to the Norwegian 'med det samme'. The invitation 'Come dee wis in trowe' is a survival from the earlier English and Scottish 'come they ways', an expression common in Shakespearean English. A glance in the dictionary at verbs such as 'cast', 'lay', 'set' and 'tak' will show how variations of preposition can ring a variety of changes on a common word.

Pronunciation

SHETLAND dialect speakers generally have a rather slow delivery, pitched low and with a somewhat level intonation.

In the actual pronunciation of words there are two distinctive features which will almost certainly attract the attention of a stranger. Firstly, the predominance of 'd' and 't' sounds instead of 'th'. A Shetlander will say 'I'm tinkin dis is waar wadder dan der haen Sooth' — 'I think this is worse weather than they are having South'.

The consonant 'th' represents two sounds in English — the voiced sound as in 'this', 'mother' and 'weather', and the unvoiced as in 'thin', 'thing' and 'mouth'. The pattern of usage in the Shetland dialect is that 'th' (voiced) becomes 'd', as in 'dat', 'dis', 'bridder', 'faider' and 'midder', and 'th' (unvoiced) becomes 't' as in 'tick', 'tin', 'ting', 'trapple', 'aert' and 'wirt'. This change does not take place at the end of a word if the 'th' is preceded by a vowel, as in 'mooth', 'sooth' and 'truth'.

The other main distinctive feature is the frequency of the modified 'o' sound — represented as 'ö'. This sound has persisted from the days of the Norn so strongly that it has influenced words borrowed from Scots and English. For example, 'curious', 'been', 'bore', 'fool', 'she' and 'usual' become 'cörious', 'bör', 'föl', 'shö' and 'öswal'.

The dialect has a rich variety of vowel sound, more than most branches of Scots. This is part of its heritage from the Norn, which had a wide variety of vowel sounds.

The following are the vowels found in the central Mainland:

short a as in English 'man' — Sh. 'flan' (gust of wind).

long a as in English 'father' — Sh. 'waar' (seaweed).

modified a — no real equivalent in English: is rather like the German ä and is a drawn-out version of the English short a. — Sh. 'claag' (cackle).

short e as in English 'men' — Sh. 'hent' (gather).

long e as in English 'main' — Sh. 'faird' (afraid); this vowel is often diphthongised into ai-eh, as in 'bait', 'plane', 'rain' pronounced 'bay-et', 'play-en', 'ray-en'.

ee as in English 'feet' — Sh. 'creepie' (stool).

short i is sounded further back in mouth than English 'i' — Sh. 'wilt' (lost).

short o as in English 'hot' — Sh. 'mott' (mote).

long o as in English 'moan' — Sh. 'coarn' (small quantity); this vowel is, like long e, often dipthongised into oh-eh, as in 'boat', 'goat' pronounced 'bo-et', 'go-et'.

short oo as in English 'boot' — Sh. 'cloot' (rag).

long oo as in English 'choose' — Sh. 'stoor' (dust).

short ö as in French 'creux' — Sh. 'böl' (animal's bed).

long ö as in French 'creuse' — Sh. 'bröl' (bellow).

short u as in English 'ton' — Sh. 'dub' (bog).

Dipthongs: The *ah-ee* sound as in English 'bite' is extended in Shetlandic in a number of cases, e.g. 'mylk', 'fysh' and 'wysh'. The letter 'y' is used in these cases to denote that the sound is not the short English 'i'.

The *ah-oo* sound as in English 'how' — Sh. 'lowe' (flame).

The *oh-ee* sound as in English 'boy' — Sh. 'gloy' (straw).

There is also a number of pronounced variations of these vowels and dipthongs in other districts.

In the North Isles and Fair Isle the long a sound — spelt aa — is rounded into a short o sound, as in 'haund' instead of 'haand', 'caum' instead of 'calm', and the short e sound as in English 'men' becomes 'ee', as in 'been' and 'steen' for 'bane' and 'stane'.

In Whalsay a number of very interesting variants occur. The short e sound as in English 'men' becomes a diphthongised sound 'eh-e', as in 'meh-en', 'steh-en' and 'teh-en' for 'men', 'stane' and 'ten'. The long e sound as in English 'main' becomes a diphthongised sound as in 'doy', 'boirn' and 'spoire' for 'day', 'bairn' and 'spare'. This also occurs in Fair Isle.

In Burra Isle, Cunningsburgh and Fair Isle the long a sound as in English 'lash' becomes a sound close to short e as in 'lesh', 'besh' and 'wesh' for 'lash', 'bash' and 'wash'.

In the Westside the sound ö becomes a diphthongised sound 'ö-ee', and the modified a sound becomes long a as in 'waal' for 'wal' (English 'well').

xxiii

Consonants are generally very similar to English. There is a tendency in a number of words to insert the 'y' sound between an initial consonant and a vowel, whereby 'book', 'going', 'look', 'kist' (chest) and 'country' become 'byook', 'gyaan', 'lyook', 'kyist' and 'kyuntry'.

In the Westside, the sound 'hw' as in 'quite', 'white' and 'where' becomes 'kw' to produce 'kwite', 'kwite' and 'kwere'. The 'hw' sound prevails in most other areas.

Spelling

THE many district variants in Shetlandic pronunciation have produced a bewildering variety of spellings in dialect writing. Writers have attempted phonetic representations of their own pronunciations with the result that the reader is confronted with a confusing picture of how the dialect should look in print.

Spelling is at best a compromise, an endeavour amid the shifting sands of pronunciation to establish a fairly stable symbol for the word. The task of communicating the word from writer to reader is the all-important one in literature, and it is through the written form, the spelt word, that the first vital contact is made. It is obvious that ease in communication will depend on familiarity with the spelling convention used. When there is no established convention, reading becomes laborious.

If it is agreed that the writer has an obligation to the reader to make communication as free as possible from superficial barriers, then the present state of private enterprise in spelling must place itself under some restraint. The following suggestions are not intended as the rigid rules perhaps implied by the previous statement, but as suggestions leading towards a greater, if not complete, uniformity. Consistency is not necessarily a virtue; but without it spelling becomes an end in itself rather than a means to the real end which is communication.

If the written dialect is to be easily read, then:

(1) An attempt should be made to base its spelling on the convention most familiar to the reader, which for most Shetlanders will be English. An English word with a local pronunciation only slightly different need not vary from the normal English spelling. The reader will immediately identify it, and knowing that he is reading dialect will apply his own local pronunciation. It should be unnecessary, for example, to change 'calm' into 'kaam' or 'kaum', 'fixed' into 'fikst', or 'come' into 'kumm'.

(2) Outlandish forms, used perhaps in a misdirected zeal to emphasise the non-English character of the dialect, should be avoided as far as possible. In this respect the habit of doubling certain letters to emphasise the heavy consonantal quality of the dialect, as in 'winnd', 'kann' and 'bakk' seems unnecessary.

(3) Use of the apostrophe to indicate a letter or letters omitted should be reduced to a minimum, and confined mainly to indicating where a letter

has been omitted from the normal Shetland usage — not the English. After all it is the Shetland speech which is being used. The present participle in Shetlandic ends in -in, which makes the final apostrophe in words such as 'gyaan', 'rinnin' and 'buksin' rather pointless. The Shetland conjunction being 'an' not 'and' should make it unnecessary to write 'an'.

When, however, the written form is a contraction of a Shetland word or words, the apostrophe is necessary, e.g. 'I'm', 'gie'r', 'du's' and 'whaar's'.

The following are suggestions applying to sounds which lead to the greatest spelling variants:

ö — crö, dö, pöl, wör. ö is preferred to ü as, etymologically speaking, the sound represented is a modified o sound. Thus English 'poor', 'good' and 'swore' became 'pör', 'göd' and 'swör'.

k — not to replace c in words with English cognates, nor to be used with s for 'xt'. Thus 'mixter' is to be preferred to 'mikster'.

y — rather than j when following initial consonant, as 'byock', 'gyaan', 'hyook' and 'nyoag'. Also used for 'i' sound in 'bite', as in 'mylk' and 'wysh'.

Notes

1. *Description of the Islands of Orkney and Zetland,* Robert Monteith of Eglisha and Gairsa, edited by Sir Robert Sibbald, 1711.

2. *An Etymological Dictionary of the Norn Language,* Jakob Jakobsen, London, 1928.

3. *A Brief Description of Orkney, Zetland, etc. 1701,* Rev. John Brand, Edinburgh, 1883.

4. S.S.P.C.K. General Committee Milnutes, 1/1/1713.

5. Walls Kirk Session Minutes, 4/7/1737.

6. *A Tour Through the Islands of Orkney and Shetland,* George Low, Kirkwall, 1879.

7. *Ibid.*

8. *Moral Statistics of the Highlands and Islands,* Inverness, 1826.

9. Laurence Williamson of Mid Yell by Laurence G. Johnson, Lerwick, 1971.

10. Jakob Jakobsen: Letter to *Dimmalaetting,* Torshavn, 29/8/1893.

SHETLAND-ENGLISH

A

a (aux v) have. *He could a come hed he wantit.*

aa (adj) every one of. *Aa da fock kent aboot it.* (n) everything. *I telt him aa I kent.*

aaber (adj) keen, eager. *Da fish is aaber da nicht.*

aabody (pron) everyone. *Tell her an tell aabody.*

aafil (adj) very. *Yun's aafil boanny.* (n) a great quantity. *Yun'll cost dee a aafil o money.*

aald also **auld** (adj) old.

aald daa (n) grandfather.

aalie-lamb (n) a caddy lamb.

aamos (n) a gift promised in the hope that a wish will be granted to the donor. The donor is said *ta lay on a aamos* and, if the wish is granted, the person who was presumed to have brought the luck is said to have *won da aamos.* (adj) wretched. *A pör aamos body.*

aandoo (v) to row gently against the tide in order to maintain a boat's position. Also used metaphorically to describe slow walking. *He was comin aandooin alang da rodd.*

aathing (pron) everything. *Aathing is jöst gien in bruck aboot me.*

aboot (prep) during. *He wis wint ta come ta wiroos aboot da nicht* (during the evening).

abön (prep) above. *Der aye a man abön a man* (p).

ach (interj) exclamation of rejection or exasperation. *Ach! Awa wi dee!*

acht (n) a valuable possession. *My Jeannie, du's a acht ta hae.* (v, pt) owned. *Wha acht yun coo at's jöst bön selt?*

acquant (adj) acquainted. *I'm weel acquant wi him.*

admire (v) to surprise. *Hit admired me ta hear yun.*

aer (n) an oar; a very small quantity. *I'm pitten a aer a tae ida pot.*

aert (n) earth.

aert-bark (n) roots of tormentil *(Potentilla sylvestris).*

aert-bile (n) a quagmire. *Da yowe wis gien in a aert-bile an smored.*

aert-fast (adj) fixed firmly in the ground, as a stone.

aert-kent (adj) known very widely. *Boy, du's shörly heard o him — he's jöst aert-kent.*

aeshins (n) top of side wall of house, inside roof. *I'm shör I laid da sharpen-stane apo da aeshins o da barn.*

aester (v) to shift towards the east, as wind.

aestard (n) an easterly direction. *Da wind göd ta da aestard.*

aet (n) agitation, eagerness. *Shö wis in an aafil aet ta hear da news.* (v) to eat.

aets (n) oats.

aetmell (n) oatmeal.

1

aff (adv) off. Occurs in a number of phrases: **geng aff,** go fishing in a boat; *I wis tinkin ta geng aff ta da handline da nicht.* **had aff,** wait; *Wid du had aff a meenit till I git me cott.* **lay aff,** speak volubly; *What shö laid aff o her afore shö feenished!* **tak aff,** abate (as sea or wind); *I wid hing on a start til dis wadder taks aff;* poke fun at. **taen aff,** taken aback; *Wisna I da taen aff whin he brocht yun up da idder day.*

affbidden (adj) forbidding, off-putting. *He's datn a affbidden craeter at I dunna laek ta ax him.*

affcuttins (n) hocks of cattle. *Weet? Wir aald coo was gyaan ta da aff-cuttins.*

afflay (n) volubility. *Shö hed a graet afflay wi her.*

affroad (v) to dissuade. *I wiss du wid try an affroad him fae buyin yun aald boat.*

affront (v) to feel ashamed. *I wis black affrontit ta see his onkerry.*

affrug (n) reflux of waves after having broken on the shore. *I wis awaar o twartree göd bits o wid bummlin aroond ida affrug.*

afftak (n) sarcastic remark. *He wis jös taen til for his skyimp an afftak.*

afore (prep) and (adv) before.

aft (adv) often.

aftest (adv) most often. *Hit wis Willie at aye cam for aftest.*

aggle (v) to dirty, to soil. *I wiss du widna aggle dee haands i yun fish brucks.* (n) a mess. *Eftir da rain dastreen da rigs is in wan aggle o dirt.*

ahint (prep) behind.

aidge o a time (adv) occasionally. *You'll maybe see him oot o da hoose at da aidge o a time.*

ajee (adj) ajar. *Da door wis staandin ajee whin I cam.*

akkadör (v) to put up with; to endure. *I doot du'll jöst hae ta akkadör wi him.*

akker (n) fragments, ruin. *Da coarn wis laid in akker wi da gale.*

alamootie (n) storm petrel (*Hydrobates pelagicus*).

alan (n) Arctic skua (*Stercorarius parasiticus*).

aless (conj) unless.

almark (n) a sheep that jumps over or breaks through fences.

alane (adj) alone.

ammerswak (n) state of unrest or agitation. *For sic a ammerswak as he wis in*

amp (n) state of watchfulness or anxiety. *He lay apon a amp aa nicht.*

an aa (adv) as well. *I telt him an aa.*

anker (n) liquid measure — 8⅓ gallons.

anse (v) to obey. *Yun dog never seems ta anse onybody aless aald Jeemie.*

ant (v) to heed, pay attention to. *Never ant what yun aald haethin says ta dee.*

antrin (adv) occasional. *We got twartree score o haddocks an a antrin ling.*

anunder (prep) under.

anyatwart (adj) contrary, awkward in nature; unpredictable. *He's bön blaain anyatwart fir a start noo.*

anyister (n) a young ewe which has not had a lamb.

anyoch (adj) enough.

apper (v) to detain, to put off. *A sweerie dog is shön appered* (p).

applöse (v) offer; make available, make known. *I never applösed it ta onyane.*

2

argie-bargie (n) dispute, quarrel.

ark (n) originally a large meal-chest; subsequently extended to mean anything big of its kind, e.g. *a graet ark o a coo.*

arl (v) to crawl or move feebly. *Da pör sowl wis jöst arlin aboot.*

arvi (n) chickweed (*Alcine media*).

as (conj) than. *He's a lok bigger as his faider.*

ask (n) haze, mist. *Da ask is tick at da back o Vaila* (Vagaland, *Voar Wadder*).

asoond (adv) unconscious. *He fell asoond.*

at (rel pron) that, who. *Dunna believe aa at du's telt. Dem at comes 'll be wylcome.*

atfirts (n) antics, behaviour. *Sees du da atfirts o yun craeter.*

atteri (adj) bitterly cold, as weather. *Dis atteri wadder is fairly keepin da girse aback.*

atween (prep) between.

atween da bed an da fire (adv phr) in a semi-invalid condition.

ava (adj) at all. *I got naethin ava for me wark.*

aye yes. *Aye, dat'll be richt.*

aye, aye a form of greeting; indication of agreement but, depending on tone of voice can convey scepticism, especially if followed by *I hear dee.*

aye (adv) always.

ayre (n) a beach.

ax (v) ask. *Du'd better ax him.*

aze (n) blaze. *Da nordern sky wis a aze o licht wi da Mirrie Dancers.*

azin (adj) blazing. *Hit's fine ta come in til a azin fire.*

B

baa (n) a sunken rock; a ball; yolk of egg; pupil of eye. (v) to lull a child to sleep. *Shö's dat tired shö'll no need baain da nicht.*

baak (n) perch, as for hens; head-rope in fishing-lines and nets.

baak-high (adj) very excited. *Whin I telt him he couldna winn he jöst göd baak-high.*

baand (n) rope used to tie cow to a **veggel** in a byre; a rib in a boat; a length of straw used to bind a sheaf; a group of people, generally used derogatorily. *For sic a baand!*

backaboot (adj) lonely, out of the way. *I widna laek ta bide i yun backaboot place.* Also applied to a person, meaning old-fashioned, out-of-date.

back-brack (n) excessive fatigue. *Hit's no wirt döin — atween da varg an da back-brack.*

back-brackin (n) a job involving great effort. *I can tell dee, boy, at wirkin ida gref o yun bank is a proper back-brackin.* (adj) excessively tirng. *A back-brackin job.*

back-burden (n) heavy burden carried on back. *He's cerried mony a back-burden i his time.*

backdraa (n) sharp drawing in of breath, as with whooping cough.

backlins (adv) backwards. *He fell backlins ida sea.*

bad (n) main article of clothing — trousers, skirt, jumper, etc.

badly (adj) unwell, ailing. *I'm bön badly noo for da past mont.*

baess (n) cattle.

baess-maet (n) fodder.

baff (n) a blow; a struggle. *He's hed mony a baff ida face ida ocean.*

baffel (n) a struggle, also **baff** (v) to struggle.

baffin (adj) struggling. *Or baffin trowe da caavie-shooers* (Vagaland, Stoorbra Hill).

baid (n) both (also **baith**).

bain (n) thick leather used for soles of shoes.

bairns (b) folks, used in a familiar sense. *Weel, bairns, foo are you aa da day?*

bait (n) a bundle of straw used thatching.

bal (v) to throw. *Dey wir ballin stanes ida sea.*

bang (v) to rush. *Shö banged inta da room wi a face laek thunder.*

bank (n) section of moor from which peat is cut.

banks (n) sea cliffs. *I dunna laek ta see you boys climmin ida banks.*

banks-broo (n) cliff edge.

banks-flooer (n) sea-pink (*Armeria maritima*).

banks-gaet (n) path along and just above cliff-edge; path up a cliff and, by extension, a difficult undertaking. *He'll be him a banks-gaet* It will be a difficult undertaking).

banks-girse (n) grass growing in cliff, usually scurvy grass.

bannock (n) nickname given to native of Dunrossness.

banstickle (n) stickleback.

barber (n) a freezing mist rising from surface of sea . . . *oot whaar da icy barbers flee, aboot Greenland's frozen shore* (James Stout Angus, *Da Lad at Wis Taen in Voar*).

bard (n) a steep headland.

bark (n) root of the tormentil (*Potentilla erecta*) used in tanning.

barmin (adj) frothing, as yeast; seething with rage. *Boy, he wis fair barmin.*

barny (n) a row or fierce dispute.

bass (n) a large, fiercely blazing fire. *A graet bass o a fire.*

bassel (n) a struggle. (v) to struggle; see **baffel.**

bat (n) a slight puff of wind.

be-aest (prep) east of. Similarly, **be-nort, be-sooth, be-wast.**

bear (v) to drift, as snow driven by wind. *Da snaa wis bearin an fillin in da rodds as fast as da ploos cleared dem.*

be dat (adj) at that moment. *In he cam be dat.*

bedral (n) a bedridden invalid.

bee-bo (n) a trifle.

beek (v) to bathe or lave. *Beek du yun cut in warm water*; to bask. *He wis sittin beekin himsel afore da fire.*

beest (n) first milk taken from newly-calved cow. When boiled it resembles newly made cheese.

beetle (v) to strike heavily.

beetlin (n) a thrashing. *He gae him a göd beetlin.*

begöd (v) pt of begin.

begrutten (adj) tear-stained. *I tocht ill aboot her wi her pör begrutten face.*

begunk (n) a let-down or disappointment. *He wis gotten a richt begunk yon moarnin.*

bein (v) a person, used generally in commiseration — *Pör bein.*

bell (v) to fester.

bellin (adj) festering. *A bellin toom.*

beltane (n) the first of May. One of the old quarter days, Hallomas, Candlemas, Beltane and Lammas.

beltane ree (n) a track of stormy weather that usually occurs about Beltane.

ben (n) best room in a cottage. Also **ben-end** and **ben-hoose** (adv) into the best room. *Geng du awa ben.*

bend (n) the complete harness of a peat-pony; (v) to put on the harness of a peat-pony.

benkle (v) to dent. *Da mudwing o his car wis benkled.*

benon (adv) over and over. *We got a bite ta aet an a cup o tae benon.*

benwark (n) muscle pains. *Hit most be da 'flu I'm gotten wid dis aafil benwark I'm haein.*

berg (n) a prominent rock.

better (adv) more. *We got better as a score o haddocks*; still. *We sat an better sat bit still naebody cam.*

bick (n) a female dog, bitch.

biddable (adj) obedient.

bide (v) to dwell. *I canna bide i dis place ony langer.*

5

bidey-in (n) one who cohabits with someone of the opposite sex.

bigg (v) to build; to make a nest, as a fowl.

biggin (n) a dwelling.

billie (n) a fellow. The word is generally used in a disparaging sense. *He's a billie o 'im.*

bing (n) a heap, e.g. *a bing o hay or taaties.*

birl (v) to whirl round rapidly, as in a square dance.

birler (n) one who birls. *He's a göd birler.*

birlin (verbal n) *I never laek dis birlin* (whirling around).

birr (n) a low, whirring sound, as of a spinning-wheel; a passion. *He flew atil a birr.*

birse (n) bristles, hair; anger. *He's gotten his birse up.*

birsie (adj) hairy.

birze (v) to squeeze. *I birzed her till shö peestered.*

bismar (n) a wooden beam about three feet long used at one time for weighing goods.

bit (adv) only. *Dey wir bit twa o dem.*

bittel (n) an abnormal tooth.

bitterness (n) cold, stormy weather.

bittersie (n) cold, stormy weather. *Sic a bittersie as wir hed lately.*

bizzie (n) litter in stall under cattle; the stall itself.

bizzie-wappit (adj) hair felted (like a **bizzie**).

blaand (n) sour whey.

blae (n) a blemish. *Hit wis a boannie simmer day wi no a blae i da lift.*

blaegit (adj) having dark spots on a white fleece, as a sheep.

blashy (adj) wet and windy. *A nicht o blashy shooers.*

blate (adj) shy, timid.

blatter (v) to shake, as a sail in the wind; to flicker, as a light or a human breath. *Da life was jöst blatterin in.*

bledder (v) to talk foolishly and at length.

bleddick (n) buttermilk.

bleddick-spoot (n) nickname given to a native of Tingwall.

blett (n) a spot; a piece of ground of a distinct colour, *a green blett*; a *möldi blett* is a place from which peat-mould was gathered for bedding cattle.

blibe (n) a bubble.

blink (n) a wink, as of sleep. *I göd ta bed but never got a blink*; a moment. *He cam alang for a blink — an nae mair.* (v) to extinguish a light. *He blinkit da lamp, dan göd.*

blinkie (n) an electric torch.

blinnd (n) a small degree of light. *Dey wirna a blinnd ida fire whin I wan in*; a short sleep. *I'm no hed a blinnd o sleep aa nicht.* (v) to close, as the eyes. *I'm no blinndit an ee aa nicht.*

blinnda (n) a mixture of grains of poor quality.

blinnd moorie (n) a snowstorm so severe as to reduce visibility to nothing.

blissit (adj) having a white streak down the forehead, as a cow, horse, or sheep.

blot (n) the water used for one washing. *I hed ta gie yun breeks o dine twartree blots.*

blöd-freends (n) family relatives.

blöd-fastin (adj) having eaten nothing all day. *Boy, didna my hert lift whin I cam in blöd-fastin to finn Bella fryin mackerel.*

6

blöd-spring (adj) with great speed. *He set aff blöd-spring.*

blöv (v) orig. to perish or die, but now used, for emphasis, in the sense of 'to faint', e.g. *Bairns, I'm jöst aboot ta blöv wi dis haet.*

blue-finkset (adj) affected with a bluish mould through being kept in a damp place.

blue-litt (n) indigo dye.

blue-melt (n) bruise.

blue-meltet (v pt and adj) bruised.

blue-niled (adj) as **blue-finsket.**

blugga (n) marsh marigold (*Caltha palustris*).

bluntie (n) a disappointment. *He got him a bluntie.*

bluster (n) rough, mossy peat.

blyde (adv) glad.

blydeness (n) gladness.

boady (n) physical body; a mass. *We got a boady o fish.*

boddam (n) bottom, the sea-bottom; (v) to touch the sea-bottom. *I can tell dee we wir braaly relieved whin da anchor boddamed.*

body (n) a person, used frequently in commiseration — *Pör body.*

boky (n) a bogey; supernatural being; also applied jocularly to someone who is very oddly dressed.

bonfrost (n) a very severe frost. Also *Hit's freezin laek a bon.*

bong (n) a loud knock or report. *A aafil bong cam ta da door.*

bonhoga (n) place of one's childhood.

bonxie (n) the great skua (*Megalestris catarrhactes*).

boo (n) bow of a boat.

boo o wadder (n) continuation of same kind of weather. *We hed a boo o hard wadder at da back o Beltane.*

booce (v) work energetically.

boocin (adj) energetic and always on the move. *Shö was a proper boocin body, was aald Baabie.*

booel-cramp (n) colic.

booel-rivin (n) a hearty meal.

boof (n) a dull thud.

boofel (v) to pummel; to beat with repeated blows.

bool (n) bowed handle of kettle or pail; (v) to jump through surface of water, as a fish. *Der troots boolin doon ida head ida voe.*

boolik (n) a pimple.

boo-stane (n) earthfast stone in foundation of building.

booster (n) pillow.

bore (n) hole in gunwale of boat for sheet, shroud or tack.

borrowin days (n) last three days in March.

bosie (n) the bosom.

bowe (n) a buoy; a boll, as of meal (140 lb).

böd (n) a fishermen's booth or hut; a store for fishing requirements.

böddie (n) a basket made of straw or docks with a band for carrying over the shoulder. A smaller type of **kishie.**

böl (n) a resting-place for animals, extended jocularly to a person's bed. *I doot if he's wun oot o his böl yit.*

bön (v) been. *I'm bön dere twartree times.*

bölliments (n) odds and ends of possessions. *He took his twartree bölliments wi him.*

bördly (adj) robust, strong.

börep (n) 1) bow-rope for a boat; 2) buoy-rope for a fishing line.

böst (n) a small, oval, wooden carrying-box; (aux v) had to, must. *He böst til a come alang da banks.*

böt (n) boot.

braa (adj) grand, splendid. *Lass, du's lookin braa da day, wi dee new rig-oot.*

braaly (adv) pretty, fairly. *Hit wis a braaly göd day for da time o year.* Also used to mean reasonably well as in *Foo is du keeping, boy? Oh, braaly.*

braand (n) burning or partly burned piece of peat. *In aalden days fock wir wint ta tak a fiery braand ida tengs ta licht dem on der wye.*

braander (n) cross-piece in wooden frame, as between legs of chair.

braand-iron (n) gridiron.

brack (n) a fracture; the breaking of sea on a rocky shore; (v) to break, pt **brook,** pp **brocken.**

brack da bröd (v) to make a path for the first time; metaphorically, to do something for the first time.

brack on (v) to break up sod in delving. *Dey wir dellin an brackin on ida rig.*

brack oot (v) to cultivate fallow or hill ground.

brack up (v) to bring up in conversation. *I'm no hed da hert to brack it up til him yit.*

brae (n) the brow of a hill; a road with a steep gradient.

bran (n) the calf of the leg.

branks (n) 1) the mumps; 2) a halter with leather nose-piece studded with nails to prevent calf sucking its mother.

brat (n) an apron.

breek-baand (n) waistband of trousers.

breeks (n) trousers.

breenge (v) to rush violently.

breer (n) the first shoots of a crop. *Didna da snaa come jöst as da breer wis beginnin ta shaa.* (v) to spring, as seed.

brennastyooch (n) fine spray rising from sea breaking on a rocky shore.

bretsh (n) the breaking of waves on a rocky shore. *I tocht I saa somethin laek a boady flottin doon ida bretsh.*

bridder (n) brother.

brieder (n) brothers. *Da twa brieder.*

brig (n) bridge.

briggistanes (n) footpath of flat stones laid in front of dwelling-house.

broag (n) a bradawl.

brimtud (n) sound of sea breaking on shore.

brind (v) to copulate, in animals. *Yon aald ram jamp in owre da fance an brinded wan o wir gimmers.*

brochen (n) a hot drink containing oatmeal with various additives such as cream of tartar, and used as cure for cold or high temperatures.

brods (n) boards of book.

broddit (v) covered with a lid, as a pot.

brongie (n) great cormorant (*Pellicanus carbo*).

broo (n) the forehead; the brow of a hill or slope.

brook (v pt) broke, pr t **brack,** pt **brook,** pp **brocken;** (n) a heap of seaweed on a beach. *A brook o waar.*

broon (adj) brown.

brootsh (v) to crush. *Yon peerie lamb was gotten brootshed i da crö among da muckle yowes.*

brose (n) a dish made by mixing boiling water or milk with oatmeal.

browdened (adj) brazen, forward. *Dat bairn is a browdened piece o wark.*

browst (n) a brew of tea. *Shö hed a göd browst o tae waitin for wis whin we cam in fae da rig;* turn of the tide. *Da tide wis jöst at da browst whin we wan ashore.*

brö (n) the water in which any kind of food has been boiled; gravy, *mutton brö.*

bröd (n) a path or breach. See under **brack.**

bröl (n) a bellow. *Da coo gae siccan a gödless bröl at I tocht something hed come at her.* (v) to bellow, as a cow.

brönnie (n) a round, thick oatmeal scone.

bröski (n) gristle, cartilage, as in the nose.

bruck (n) refuse; useless material. *Yun's jöst a lok o bruck.* (v) to crush. Also **bruckle.**

brucks (n) fragments; remnants of anything broken. *Da brucks o Yöl* — drop left in bottle after Christmas celebrations.

bruckly (adj) easily broken, friable.

brug (n) a small, flat-topped mound; the edge, as of the shoreline.

brungawheedie (n) cormorant.

brunt (v pt and pp) burned.

brunt rift (n) heartburn.

bucht (n) a coil of fishing-line, about forty to fifty fathoms.

buckle (v) to entangle, as a cow in her tether; to wrap up clumsily. *Jöst du buckle hit up an lat me geng.* (n) a tangle.

bucky (n) large whelk.

buggie (n) bag made from skin of sheep after the wool has been removed.

buggiflay (v) to skin a sheep, keeping the skin in one piece.

buggiflooer (n) sea campion (*Silene maritima*).

buks (v) to walk or trudge heavily, as through snow. *Hit's taen me a göd oor ta win here, buksin trowe aa dis snaa.*

bulder (n) loud noise; gurgling of water . . . *da bulder o da water in aboot da brakkin baa* (Vagaland, *A Skyinbow o Tammy's*). (v) to blunder clumsily. *First I kent, Lowrie cam bulderin in trowe da door.*

bult (v) to butt, as a cow; (n) a butt, as from a cow; (adj), *a bultin coo.*

bulwaaver (n) to go astray, to wander aimlessly. *Dere he goes, bulwaaverin alang da banks.*

bulwaand (n) mugwort (*Artimisia vulgaris*).

bummel (n) a floundering, in water mainly. *Da muckle troot gae ee last bummel afroe I yarkit da clip atil him an haaled him oot o da water;* to make heavy weather of something, as in speaking. *He mantit and bummelled dat wye at I truly* *felt soarry for him.* (v) to flounder, in water mainly.

bummer (n) a bulky thing or person. *A graet bummer o a calf.*

bungle (n) a largeish clod of earth.

burd (n) a nestling; a young bird.

burra (n) heath rush. *A lok o da göd cultivated laand wis geen back ta burra.*

burra toog (n) a tuft of heath rush.

bursin (v pp) of **burst;** (adj) breathless from exhaustion. *Whin he wan ta da noost he jöst sat for a start ida boat, fair bursen.*

bursten (n) meal made from corn dried in a kettle over fire.

bursten brönnie (n) nickname given to a native of Sandness.

busk (n) the beard of a fishing fly; (v) to dress up or decorate. *A boannie bride is sune buskit.* (p); to put the **busk** on a fish-hook.

buss (n) the bedding of a nest. *Da nest wis empty aless for da buss.*

byelsit (adj) having a white ring round the neck, as a sheep.

byock (v) to retch, as in sickness.

byurg (n) rocky hill.

C

caa (n) a drive of sheep or whales. *Wir hed a göd caa da day an gotten in maist o da sheep.* (v) to drive, as sheep, cattle or whales; to abuse. *He caad him up hill an doon dale*; to drive a nail. *Jöst du caa twartree nails ithin him an he micht hadd for a start*; to knock. *Watch an no caa dee head ida door as du gengs in.*

caa canny (v) to go warily or easily. *Boy, caa canny wi da butter.*

caain-time (n) time of year when sheep are gathered in from the hill.

caald (n) the common cold; (adj) cold (both can also be **cauld** or **cowld**).

caald-rife (adj) very cold and chilly. Applied also to social atmosphere. *Boy, yun wis a braa caald-rife wylcom du got.*

caav (v) to drive, as snow. *Whin I cam in a oor fae syne he wis fairly caavin*; to eat greedily. *He wis fairly caavin intil his denner.*

caavie (n) a blizzard. Also **moorie caavie.**

cabbi-labbi (n) hubbub; confused noise from several people all speaking at the same time.

caddel (n) coloured thread through sheep's ear or round neck for identification purposes; (v) to put a coloured thread on in the above manner.

cadge (v) to beg.

cadger (n) one given to begging.

caerd (n) an instrument for carding wool; (v) to card wool.

caerdin (n) a party of women gathered by invitation at a neighbour's house in order to card wool.

caff (n) chaff.

calafine (n) a lead pencil.

calloo (n) long-tailed duck (*Clangula hyemalis*).

cam o da kind was of that kind; inherited certain qualities. *I widna pit yun past him; he cam o da kind.*

camshious (adj) fault-finding; perverse. *Du'll git nae sense oot o yun aald, camshious craeter.*

can (v) manage. *Du'll no can ta dö yun bi desel.*

cangle (v) to quarrel.

canna (v) cannot.

canny (n) the skipper's seat in a sixareen where he sat with the helm over his shoulder; (adj) shrewd. *Shö wis a braa canny body.*

cant (n) humour, spirits. *Der a göd cant ipon him da day.*

canty (adj) light-hearted. *Du's shörly feelin braaly canty da day.*

cappie (n) sinker for fishing-line; a small, wooden bowl.

carvy-seeds (n) caraway seeds.

case-alaek (n) all the same. *Hit's jöst case-alaek whatever wye du taks it.*

cassen (adj) tainted; beginning to decay, as fish or meat. *Yun flesh is cassen — du micht as weel gie it tae da dog.*

cast (n) skilful manner of working; technique. *Hit's no taen him lang ta git da richt cast o it*; manner. *Shö has da very cast o her midder.* (v) to dig peats (pt **cöst,** pp **cassen**). Phrases: **to cast aff,** to eliminate stitches in knitting. *Du'll hae ta cast aff twartree mair loops afore du starts da neist geng*; to take off, as clothes. *Cast aff dee weet claes, boy.* **ta cast by**; to discard. *Hit's time at du cöst by yun auld breeks;* **ta cast on,** to add extra stitches in knitting. *Whin du wins up by tae da oxter du'll hae ta cast on twartree mair loops;* **ta cast oot**; to quarrel. *Dey wir for ever castin oot owre something*; to reject. *I widna cast oot wi a piece o reestit mutton;* **ta cast up,** to taunt by raking up the past. *Tak du my wird, dey'll cast yun up til her tae her deein day;* **cassen awa,** lost, generally at sea. *Shö's never bön da sam fae her man wis cassen awa.* (v) to reject from flock, as in sheep. *I doot I'll hae ta cast yun aald moorit yowe dis hairst.* (adj) *a cast yowe.*

cat-aet (n) state of excitement. *Whit's pitten dee in sic a cat-aet?*

catmoagit (adj) having light-coloured body with dark-coloured belly, as a sheep.

catticloo (n) a noisy mob.

cat-waa (n) partition between two rooms in a house, but built only up to wall level.

caution (n) a character; a person with a droll personality. *Man, he wis a proper caution: I can weel mind some o da sayins at cam aff o 'im.*

claa (v) to claw; (n) physical setback caused by illness. *Da 'flu is gien him a nesty claa.*

claag (v) to cackle, as a hen; (n) noisy speech. *I'm heard anyoch o her claag.*

clag (v) to stick together, to clog. *His fingers wis claggit wi treacle.* (n) a sticky mess. *Da tattie grund wis in wan clag o dirt.*

claggy (adj) sticky.

clair (adj) ready; in a state of preparation. *Jannie, get my sea-bread; I hoop du haes it clair.* (George Stewart, *Gyaan ta da Far Haaf*).

clap (v) to rest or focus, as eyes. *I'm never clappit een apon her for monts noo.*

clash (n) talk, gossip. *Wi der onkerry, dey wir da clash o da hale perrish.*

clashmelt (n) messy, dirty state. *Whin we got da aald ram oot o da mire he wis in wan clashmelt o gutter.*

clashpie (n) a telltale; one who divulges secrets.

clatch (n) a glutinous deposit. *He got a clatch o gutter richt ida face*; a large, clumsy person. *Boy, what a graet clatch shö's come.* (v) to besmear. *He wis clatched wi dirt fae head ta fit.*

cleek (n) a hook; (v) to fasten or suspend with a hook; to get hold of. *Didna shö fair cleek a hadd o 'im.*

clegsie (n) the horse fly.

clert (v) to besmear.

clester (v) to besmear. *Shö hed da biscuit weel clestered wi butter.* (n) a mess.

clever (adj) quick. *He's clever wi his tongue fir aa da size o 'im.*

clewball (n) tangled state. *Dey wir aa fechtin on da flör in wan clewball.*

click (v) to remove quickly; to snatch or pilfer.

clink (v) to rivet, as a bolt or nail.

clinkin (adj) splendid. *Boy, du's made a clinkin job o dat.*

clip (n) a gaff for catching fish or hauling them out of the water.

clipe (n) a telltale.

cliv (n) a hoof.

clivgeng (n) sound of hooves; by metaphorical expression a procession. *I can mind on Setterday nichts da clivgeng o Dutchies alang da Street.*

clock (n) a beetle; (v) to brood, as a hen. *Yun peerie hen is begun ta clock.*

clockin (adj) broody, as *a clockin hen.*

clocks-midder (n) hen with chickens.

clod (n) small, hard peat.

clooky (adj) tricky, artful. *He wis a clooky peerie fellow, dat he wis.*

cloor (v) to scratch with claws. *Da cat wis cloored da ting's face.*

cloot (n) cloth, as *dish-cloot*; sail of a boat. *We got da cloot apon her.* (v) to clout. *A cloot along da lugs.*

closs (n) a narrow lane with houses on each side.

clowe (n) clove. *Never say clowe* — Don't say a word.

clump (v) to make a heavy noise in walking. *He cam clumpin in trowe.*

clumpse (v) to render speechless. *Deevil clumpse dee!*

clunk (v) to gulp liquid. *He fairly clunkit doon his dram.*

clushit (adj) very clumsy.

clyers (n) small glands in stomach fat of sheep.

coag (v) to peer. *A silkie coags an stimes* (James Stout Angus, *Eels*).

coarn (n) a small quantity. *A coarn o shuggar*; a bit. *Could du come a coarn closser?*

cockie (v) to defecate.

cockies (n) excrement.

coft (v pt) bought. *Hit's dear coft honey at's lickit fae a toarn* (p).

cog (n) a small, wooden vessel.

cole (n) a haycock; (v) to build haycocks.

coll (n) a burning piece of fuel; a brand.

collcoomed (adj) burned to a cinder. *Da brönnies wis bön collcoomed ida haet oven.*

coll-slock (n) state of being extinguished. *Whin I wan hame da fire wis lyin i collslock.*

colly (n) a small open iron lamp with a wick floating in fish-oil. When obsolete, the name was transferred to the small paraffin lamp.

collyshang (n) a noisy dispute. *For sic a collyshang dey wir at da crö.*

come (v) normal English usage has some interesting idiomatic forms when combined with adverbs or prepositions: **ta come at**, to befall. *Geng du, me boy. Der naethin at'll come at dee*; to come to oneself. *Laeve him for a bit an he'll shön come at*; to touch. *Du's no ta come at me wi yun haet kettle*; to come on, to develop; **ta come about**, to take a new tack in

13

sailing. *Staand by boys: I'm jöst gyaan ta come aboot*; to pacify. *Shö wis in a aafil state but we shön cam aboot her; ta com awa*, to grow, as seed. *Yun re-seed is fairly come awa fine; come awa in*, invitation to come into a house. *Jöst du come awa in trowe; come dee wis*, come thy ways, invitation as in *come awa in*, generally in form *Come dee wis in trowe; come o*, become of. *What'll ever come o yun pör sowl?*

condwined (adj) hateful. *Dat boy is a condwined object.*

coo (n) cow. Pl **kye.**

coom (n) very fine dust or small particles. *Da bairn wis laid da bit o gless oarnament in coom.*

coorse (adj) rough, as in weather. *Dat's bön a coorse day o 'im.*

coose (n) a heap. *Dey wir a graet coose o claes at da fit o his bed.* (v) to heap up.

cootch (n) (v) to treat with preservative, as fishing-nets.

corbie (n) raven (*Corvus corax*); manner of speaking in which the 'r' sound is rolled in throat; (v) to speak rolling ones 'r's'.

corp (n) corpse.

cose (v) to exchange, barter. *I'll cose yun peerie broon hen o mine for twartree seed tatties.*

cosh (adj) friendly. *Hit's no aften ye see yun twa sae cosh.*

cotts (n) skirts.

coup (v) to tilt, heel over, capsize. *Jöst coup du dy borrowlodd owre here.*

couple (n) one of a pair of rafters supporting roof of a house.

cöl (v) to cool.

cöllie (v) to appease, to make much of. *Shö took da peerie greetin ting in her skurt an cöllied aboot her.*

cösh (interj) a word used to scare fowls; (v) to drive away fowls using the word **cösh.**

cöst (v pt) of **cast.**

cöt (n) 1) the ankle, extended in meaning to include the foot. *Dan I hears on da brig-stanes da muvvin o cöts* (J. J. Haldane Burgess, *Skranna*). 2) cud, as cow *showein da cöt.* Also *ta showe bitter cöt* — to harp on unpleasant incidents or experiences.

cöttiken (n) sock that covers the ankle only.

craa (n) hooded crow (*Corvus cornix*).

craahead (n) the chimney head.

craa's tread (n) small hen's egg about size of starling's; supposed to indicate end of laying season for hen which produced it.

craatae (n) crowfoot (*Ranunculus*).

crabbit (adj) bad tempered.

crachtless (adj) powerless. *What can you lippen fae him — a pör crachtless body.*

crack (n) 1) yarn. *I man drap alang dee some day for a crack*; 2) hearty laughter. *You could hear da cracks o 'im far anyoch.* Also (v) to laugh heartily.

cracker (n) nickname given to Bressay man.

craetir (n) creature, used generally in commiseration — *a pör craetir.*

craig (n) the neck; the throat. *Der's a bane stickin i me craig.*

craigs (n) rocks along the foreshore; rock-fishing. *He got mony a göd böddie o sillocks at da craigs.*

craigsaet (n) a crag suitable for craig fishing.

craigstane (n) see craigs.

cram (v) to scratch with claws, as a cat.

crammicks (n) cat's claws.

cramper (n) a character. *Boy, du is a cramper!*

crang (n) the dead body of an animal; carcase.

crappin (n) a dish made of fish-livers mixed together with meal or flour, seasoned with salt and pepper, and cooked in head of a large fish.

creeks (n) a condition of aching muscles in legs after excessive walking. See also **hansper** and **spaigie**.

creeksit (adj) in poor physical condition; infirm. *Shö's a pör creeksit sowl an no lang for dis wirld.*

creepie (n) a small three-legged stool.

creesh (n) grease.

creeshy (adj) greasy.

crex (v) to clear the throat; to hawk. *I could hear him crexin an hostin aa trowe da nicht.* (n) the sound of clearing the throat.

crim (v) to cough or clear the throat as a sign of disapproval. *I kent I was in for it bi da wye shö crimmed an cöst her een up an doon owre me.*

crimp (adj) scant; tight, as in clothes. *Yun cott looks braaly crimp apon her.*

cring (n) two lambs tied together with a cringle round the neck. *A cring o lambs.* (v) to tie two lambs together as above.

cro (n) a nook or boxed-off space for storing things, a *paet-cro*, or *tattie cro*.

crooels (n) running sores, usually tubercular.

croog (v) to crouch. *We croogit under a daek till da shooer göd by.*

crook (n) a hook from which pots were hung over the open fire; a sheep-mark involving a semi-circular piece taken out of one side of ear. *A crook oot ahint.*

crook baak (n) a beam horizontally fixed above open fire from which links and crooks were hung.

croon ida lift (n) the zenith. *What tinks du whin I cam apo Tammie, lying on da keel o his back gaanin ida croon ida lift?*

crooner (n) gurnard (*Trygla gurnardus*).

croppened (adj) shrunk and twisted. *Her haands wis fairly croppened up wi da rheumatics.*

croose (adj) cheerful. *Shö maybe wisna muckle wirt but shö wis aye canty an croose.*

crö (n) sheep-fold. See **crub**.

cröl (n) a hump, especially on the back. *Da coo set a cröl whin shö raise tae her feet.*

crub (n) a small circular drystone enclosure for growing cabbage plants. In Unst referred to as a **crö**.

crubbit (adj) confined, restricted in space.

crug (v) to crouch in taking shelter, to huddle. *Da sheep wir cruggin ida lee o da hill-daek wi da moorie.*

crugset (v) to drive an animal into a corner in order to catch it.

crump (v) to crunch; to crackle, as ice or snow, when trodden on. *Da girse wis crumpin wi da frost.*

cruttle (n) a low gurgling sound; (v) to gurgle. *I can weel mind da aald man sittin smokkin bi da shimbly-sheek, da clay pipe cruttlin awa.*

cry (v) 1) to call. *Boy, I wiss du wid geng an cry apo da bairns.* 2) to have the banns of marriage read in church. 3) in phrase *gyaan ta cry,* about to give birth to a child. *Kens du whit I heard? Peerie Liza o Gerts is gyaan ta cry.* 4) phrase *cryin at da hert;* (n) hysterics. *Pör sowl, shö got an aafil cryin at da hert whin da news cam.*

cry-reck (n) within calling distance. *Der wisna a sowl ithin cry-reck.*

cuddie (n) a small basket; a *saat-cuddie* was used for holding salt and could be hung on a nail or hook near the fire.

cuddy (n) in phrase *up in his cuddy* — elated. *Du's fairly up i dee cuddy da nicht.*

cuggle (v) to rock; to unbalance.

cuggly (adj) in an unbalanced state. *I widna staand on yun cuggly shair if I wis dee.*

cummel (v) to turn upside down. *Dey cummelled da aald boat an keepit hens atil her.*

cürious (adj) has a different meaning from normal English usage; anxious, willing. *I wisna owre cürious ta geng oot wi da bad nicht at he wis.*

curl-dodie (n) the orchid (*Orchis mascula*).

curn (n) the currant.

curn-loff (n) fruit loaf.

curny puddin (n) fruit pudding.

currie (adj) lovable. *Come dee wis, my peerie, currie ting.*

curry-raag (n) dealings. *Dey dunna hae muckle curry-raag wi der neebors.*

cussie (n) a pet name for a calf or cow.

cut (n) a substantial part. *He sat dere for a cut o da nicht.*

cutty (n) a small, stumpy tobacco pipe, originally clay.

cuttanoy (n) a disturbance. *When he was aboot dey wir aye distress an cuttanoy.*

D

da (def art) the.

da moarn (n) tomorrow.

daa (n) father.

daachen (v) to lull, as in bad weather. *I see he's daachened a coarn noo, so I'll mak tracks fir hame.*

daal (n) a dale; a valley.

daalamist (n) mist which gathers in valleys at night.

daamish (v) ta weary with endless talk. *I wis jöst fair daamished wi da claag o 'er.*

daander (v) to saunter; (n) a gentle walk. *Sall we geng fir a daander doon da rodd?*

daa-nettle (n) the dead nettle (*Lamium*).

dad (n) a lump of something solid. *Shö laid a graet dad o sassermaet i me plate*; a heavy blow. *First I kent wis a dad atween da shooders.* (v) to strike; to slam, as a door. *He daddit tö da door.*

daddery (n) drudgery. *Dis croftin is jöst a life o daddery.*

daddit (adj) weary, worn out by overwork. *A pör daddit body.*

daek (n) new-cut peats built in form of a wall to dry; a dyke. *Innadaeks — within bounds. Ootadaeks — in the open.*

daek-end *(n) end of a dry-stone dyke where it is built into the contours at the seashore.*

daev (v) to deafen by excessive noise or persistent talk, *I'm blyde du's come. I'm fair daeved wi da yallicrack o dis bairns.*

daffik (n) small wooden bucket used for carrying water.

dag (n) thick mist or light drizzle.

dan (adv) then; at that time. *Dan'll be da best time ta dö it.*

dan-a-days (adv) in those days. *Dey wir nae want o wark dan-a-days.*

dang (v pt of ding pp dung). *He dang owre da bucket as he göd oot.*

dart (v) to strike the foot on the ground or floor as an expression of anger.

darken (v) in expression darken her/his/der door — to set foot within, as *Efter what shös bön sayin aboot wis, I'll never darken her door agen.*

darkenin (n) the twilight. *He cam hame ida first o da darkenin.*

dastreen (n) last night. *Baabie wis alang wis dastreen.*

dat (pron) that. *Whit tinks du o dat?* (adj) that. *Dat boy'll mak a black end yit, see hit wha laeks.* (adv) that. *He wis spaekin dat fast I coodna follow him.*

dat, dat! (interj) *I told you so! What can you expect!*

dat in feth! (interj) expression meaning *Good Heavens!*

dat in traath! (interj) expression conveying the meaning *Yes, truly!*

17

datn (adj) such, so. *Du's bön datn a göd bairn at I'm gyaan ta gie dee a sweetie.*

dayset (n) nightfall, dusk. (Pronounced with accent on first syllable).

dead man's mittens (n) gentian (*Gentiana amarella*).

dead-traa (n) death throes.

debaetless (adj) exhausted; feeble. *He flang him ida restin-shair, fair debaetless.*

dee (pron) second person sing, you, used in familiar sense. *I'll tell dee whit wye ta geng.* (v) to die. *He'll no dee da day he sets on* (p) he is never on time.

deer (v) to make an impression upon. *Aa my warnins never deered apon him.*

dell (v) to delve.

dellin (n) a portion of a yard or field allocated for a certain crop, often to a neighbour. *Aald Naanie is aye hed a dellin o tatties i wir rig.*

depooperit (adj) impoverished. *Some-ean wid need ta look in apo yun aald, depooperit body.*

dem (pron) them.

demmel (v) to fill a vessel by dipping into water. *I demmelled da bucket ida waal;* to splash, as with an oar; to pitch, as a boat in a heavy sea.

demlane (pron) themselves alone. *Whin aald Robbie deed, his twa sisters wir left demlane.*

demsels (pron) themselves. *Dey shörly ken best demsels.*

denkie (n) a shallow depression in the ground. *Da bairns wir doon ida park playin hoosies ida denkie.*

der (poss adj) their. *Fock laek bein among der ain.*

der contraction of *dey wir*, there is/are. *Der no a blade o girse for da sheep.*

der bön there has/have been. *Der bön mony a göd nicht i dis but-end.*

dere (adv) there.

dere's a loss! (Interj) *What does it matter.*

dereeshion (n) an object of ridicule; an idiot. *Du's made a boannie mess o dis, du dereeshion at du is.*

ders (pron) theirs. *Yun's ders.*

dess (n) a stack of hay.

deuk (n) a duck.

dey (pron) they.

dey wid there would. *Dey wid a bön twartree mair fock hed dey kent du wis comin.*

dey wir there was/were. *Dey wir a lock o sheep ida ebb.*

dibe (v) 1) to dip in water. *He's aye dibin awa i da sea for twartree piltocks;* 2) to work laboriously. *What dat pör body is dibit on wi nane ta gie her a haand.*

dicht (v) to wipe, to clean, to make tidy. *Lass, dicht up dee face an come ta da shop we me.*

dill (v) to die down, as wind. *Da wind wis dilled doon a coarn whin we left for hame.* (n) a lull. *Der a dill ida wadder so I'll jöst mak fir hame.*

dill-bells (n) tags of matted wool hanging, usually from rear end of sheep.

dilse (n) seaweed, the common dulse (*Rhodymenia palmata*).

dim (n) dusk, twilight. *Hit wis jöst ida first o da dim I cam apon him at da hill-daek;* a long time. *Hit's bön a dim fae du was here last.*

dimriv (n) dawn. *Fae dimriv ta dark he as aye on da go.*

dine (poss pron) yours. *Is yun dine?* also **dines.**

ding (v) to push; to strike. *Dunna ding owre da ledder as du gengs oot.*

dink (v) to dress, bedeck. *Da peerie lass wis dinkit oot ida very best.*

dip (v) to sit down. *Boy, dip dee an hae a crack.*

dipple (v) to plant potatoes by means of a dibble.

dipplin-tree (n) a dibble.

dirl (n) a blow or jar. *Yun wis a aafil dirl he got ida side o da head*; state of great hurry. *He cam in trow da door wi a dirl at wisna moaderate.* (v) vibrate or shake. *Da wind dirled ida lum.*

dirt (n) nonsense. *He jöst rödit a lok o dirt*; applied to bad weather. *Hit's jöst a day o dirt.* Nickname given to native of Doonowaas.

dis (pron) this. *Dis I mann tell.* (adj) these. *Dis fock is never settisfied.*

disjaskit (adj) exhausted, worn out. *Nae winder dey wir disjaskit efter der baffel ida moorie.*

distress (n) great severity of weather. *For sic a nicht o distress ta geng furt wi.*

divvish (v) to deck, to set in order, to prepare food for the table, to finish properly, as a piece of work.

dochter (n) daughter.

docken (n) the common dock (*Rumex obtusifolius*).

doggit (v) harassed. *Pör Lowrie, he's bön doggit aa his days wi yun wife o his.*

doit (v) to be confused in mind. *Da pör aald sowl is beginnin ta doit.*

doitin (adj) mentally confused. *Du'll git nae sense oot o him — he's fair doitin.*

doot (v) unlike English 'doubt', it conveys a suggestion of possibility, with an element of 'I am afraid', *I doot he's gyaan ta come a bad nicht.*

doo (n) pigeon.

dook (v) to duck, as from a blow; (n) a dip in the water, a bathe.

doon-by (adv) down there. *Du'll fin him doon-by.* Not far away.

dooncome (n) a comedown.

doondrappin (n) state of collapse. *Eftir a hard day at da paet-hill I wis jöst at da doondrappin.*

doontak (n) humiliation. *Hit wis a aafil doontak for him whin his wife an bairns left him.*

doontöm (n) downpour of rain.

doon apon it (adj) depressed. *Ever fae his wife deed he's bön braaly doon apon it.*

doose (v) strike; dart, as the foot. *Dance, dance, doose dee fit* (folk song). (n) blow. *Yun wis a braa doose du got alang da lug*; thud. *He cam doon on da flör wi a doose.*

dorro (n) a handline with several hooked lines attached, used in catching mackerel, coalfish, etc.; the act of fishing using above line. *I'm gyaan aff ta da dorro da nicht.*

dort (v) to sulk. *He wis wint ta dort whin he didna git his ain wye.*

dorts (n) the sulks, usually in phrase: *Ta tak da dorts,* to take offence.

dorty (adj) sulky. *A dorty bairn.*

19

dose (n) a large quantity. *I cam apon a dose o aald books ida laft*; bout, as of a cold. *I'm gotten a aafil dose o da caald.*

doven (v) to benumb. *Whin I cam apon him he was jöst dovened wi da cowld.*

dover (v) to doze. *He hed dovered owre an never kent I'd bön in.*

dowe (v) to wilt.

dö (v) to do. *I'll dö yun for dee.*

döl (n) grief. *Yae, pör sowl, shö's hed a life o döl an soaroo.*

döless (adj) indolent; lacking in drive. *Yun döless object 'll never hadd on tae a job.*

dön (v pp of **dö**) done. *I'm dön as muckle as I could*; (adj) physically incapable. *A pör dön body.*

dörkable (adj) reasonable, as weather, i.e. suitable for outdoor work even if not bright and sunny.

draa (n) in combination **boat's draa** — a place on the shore where a boat is drawn up. (v) to infuse, of tea. *Da tae is hardly draan yit*; used in phrase *ta draa a strae afore his nose*; to hoodwink; **to draa on**, to pull on, as clothes. *Haddee a meenit till I draa on me breeks*; **draa me till**, I will go there; **to draa up**, to approach, as time. *He wis draain him weel up for dayset afore dey cam.*

draacht (n) the drawing of an implement, especially a harrow. *Yun rig wid need twartree mair draachts o da harrow.*

draig (n) a dredge, especially used by fishermen for collecting **yoags** (large mussels); (v) to trawl with a fishing-line, or to keep it in constant motion up and down in the water.

drang (v) to tie tightly, as a knot. *He wis dranged his bötlaces dat ticht he coodna lowse dem.*

draatsi (n) otter.

drave (v pt of drive).

dreach (n) nourishment, sustenance.

dree (v) to endure, to suffer. *We took on ta dö dis job, so we'll jöst hae ta dree him oot.*

dreel (v) to drive out vigorously. *Shö dreeled da bairns oot a da room.*

dreep (v) to drain or drip. *Du better dreep dee a start afore du comes in wi yun weet claes.* (n) a feckless person. *Whit can you lippen idder o a pör dreep laek yun.*

dreich (adj) dreary. *Hit's bön a braaly dreich spell o wadder.*

dreid (v) suspect. *I dreid dey'll mair come o dis.* (n) fear. *I hear a dreid der ill news comin.*

drintled (adj) spotted, as a pig.

drittle (v) to walk slowly and aimlessly. *See's du him comin drittlin alang da rodd.*

drocht (n) windy, drying weather. *Dis spell o drocht is fairly dried up da paets.*

droo (n) seaweed; eel-grass (*Chorda filum*). Also **drooie-lines, lucky lines.**

drook (v) to soak.

drookin (n) a soaking.

drookle (v) another form of **drook.**

drooth (n) a drunkard.

drummie-bee (n) the bumble bee.

drush (n) small fragments, usually applied to rubbish; fine rain. *Hit's jöst a coarn o drush: hit'll come ta naethin.* See also **raag, shug.**

druttle (n) thin or watery butter-milk.

du (pron) familiar form of 'you', used by parents to children, old people to young, but not vice versa. Also used between equals. (v) to address familiarly. *You manna 'du' your elders.*

dub (n) a bog or small muddy pool.

duddered (adj) shabby and run-down. *Boy, whatna a queer, duddered lookin craetir is dis comin in wir rodd?*

dukkie (n) a doll.

duff (n) soft, mossy peat unsuitable for burning. used sometimes as a bedding for animals.

dulskit (adj) sluggish and torpid in personality. *I canna tink what shö sees i yun dulskit craetir.*

dumba (n) fine particles floating in the air after winnowing process.

dumbit (adj) shabby. *Yun suit o dine is braaly dumbit laek.*

dumpised (adj) depressed; down-cast.

dunder (v) to make a sound like thunder. *Da wind wis dunderin ida lum.* (n) a loud noise.

dungeon (n) applied to someone who has great knowledge. *He wis jöst a dungeon o lear.*

dunt (n) a heavy blow; (v) to strike. *He duntit da kishie alang da waa.*

dunter (n) eider duck (*Somateria mollissima*).

dwaam (n) a faint or senseless state; a fool; (v) to faint. *Afore I kent whaar I wis I jöst dwaamed owre.*

dwang (n) a short, wooden cross-member fixed between two up-right timbers, as in a partition. (v) to fix above in position.

dwine (v) used as an imprecation. *Dwine dee!,* confound you!, to dwindle, to fade. *Nae shöner is da simmer dwined awa as da winter is apo wis.*

dy (poss pron) your. *Wir aye blyde ta see dy bairns.*

dysel (pron) yourself.

E

ean (pron) one. *Ean o da best casters wis Willie o Goard.*

eans (pron pl) ones. *Yun eans are owre dear.*

ebb (n) that part of the sea-bottom, near the shore, which the ebbing tide exposes; the fore-shore. *Dis time o year, especially wi da snaa, you'll fin da sheep aetin ida ebb.*

ebb-sleeper (n) the dunlin (*Tringa variabilis*).

edder (conj) either.

ee (n) the eye; (adj) one. *He wis widgin aff o ee pit an on apo da tidder.*

ee-breer (n) the eyelash. also ee-whaarm.

eel-towe (n) a line laid inshore for catching eels for bait.

eela (n) rod-fishing, mainly for piltocks, from small boats.

eemage (n) a person in poor physical condition, usually applied in commiseration. *Yun pör eemage o a bairn sood never be furt in wadder laek dis.*

een (n) eyes.

eence (adj) once. *Eence apon a time.*

eence a errant (adj) for that purpose. *I kent du laekit a bit o reestit mutton so I cam eence a errant wi it.*

eenoo (adv) just now; in a moment. *I'll be wi dee eenoo.*

eetch (n) an adze.

eetimtation (n) iota; very small amount. *I'm no hed a eetimtation o maet fae I left hame dis moarnin.*

eever (n) something of an unusually great size. *A graet eever o a coo.*

ee-wharm (n) the eyelash; also ee-breer.

eft (adv) in the stern part of a boat or ship. *Geng dee wis eft, boy, an set dee doon.* (adj) belonging to the stern part. *Da eft taft.*

efter (adv) after; left over. *Der hardly a drap o tae efter ida pot.* (prep) as heir to. *Dey got a braa twartree pennies efter a aald uncle.*

efterklaps (n) result, sequel.

eident (adj) hard-working; always busy. *Shö was aye a eident body aa her life.*

eksis girse (n) the dandelion (*Taraxacum vulgare*).

elbuck (n) the elbow.

ellishon (n) the shoemaker's awl.

elsk (v) to love.

elska cry (n) death cry.

elt (v) to make dirty; to defile. *He wis eltit fae head ta fit in gutter*; to handle roughly or pet excessively, as a young animal. *So boy, dunna elt da ting o dog*; to work hard, usually at dirty jobs. *He was for ever eltin ida rig.*

emmer gös (n) the great northern diver (*Gavia immer*).

emmers (n) embers of fire.

emskit (adj) of a bluish-grey colour.

end (n) shoemaker's thread, usually in form *wax-end*; breath. *He hostit dat wye he lost his end*; fate. *He'll mak a black end afore he's muckle aalder.*

end on (adv) continually. *Shö sheeksed end on.*

enk (n) the setting aside of a calf, lamb or chicken to a young relation or friend. It would probably stay on the croft but would be considered the property of the recipient who would get the produce — milk, wool, lambs, etc. *We gae peerie Willie da enk o a lamb.* (v) to carry out above process. *We enkit da lamb tae him.*

ent (v) to obey, pay attention. See also **ant.**

eredastreen (n) the night before last night.

errands (n) provisions. *I was gyaan ta da shop for da helly errands.*

ert (n) direction. *Da wind is bön i dis ert for owre a week noo*; in phrase *ida ert*, in a position between beholder and horizon. *I dunna laek ta see yun wadder-head hingin ida ert.*

ess (n) ash, ashes.

essibacket (n) ash-bucket.

essikert (n) refuse vehicle.

essimidden (n) dunghill where ashes are deposited.

etterscab (n) ill-natured or troublesome person. *Dat boy o Teenie's is a proper etterscab.*

F

faa (n) a fall, the act of falling; the intestines of a slaughtered animal. *Gie du me da faa o da yowe an I'll clean da puddeens doon ida burn.* (v) to fall, used idiomatically in various forms: **faa aff** (v) to doze. *Hadd dee a meenit till da bairn faas aff.* **faa afore**, to occur. *Hit faas afore me at du's bön at wiroos afore;* **faa apon** 1) come across. *Hit's hard ta say whaar du'll faa apon yun trooker;* 2) become sour or decayed, as food. *Yon piltocks is faan apon.* **faa awa**, to abate, as the wind. *Da wind wis faan awa a braa bit afore we left;* **faa by**, collapse, fail to continue. *I can tell dee at he'll faa by afore da nicht is oot wi da wye he's clunkin dem doon;* **faa owre**, to drop into a sleep. *If du nugs da cradle for a peerie start da bairn 'll shön faa owre;* to be duty bound. *Du faas ta fill in yun form afore du gits dee pension;* to befall, used generally as an expression of blessing. *Göd faa dee!*; *at da faain fit*, well advanced in pregnancy. *Sees du her oot dellin tatties an her at da faain fit.*

faader (n) God. *Merciful Faader!*

faase (adj) false.

faase-face (n) a mask.

faat (n) injury; harm. *So, lat du him geng. Hit'll dö him nae faat ta laern da hard wye.*

faddom (n) fathom; (v) to fathom. Also used in expression *faddomin da scroo*, a Hallowe'en ritual in which a young woman measured or fathomed a stack of oats with her arms and then was supposed to see a vision of her future husband.

fadmal (n) a grossly stout person, esp. a woman.

fae (conj) since. *I'm aye laekit dee fae first I kent dee.* (prep) from. *What wird fae Tammy?*

fael (n) a sod or turf.

faelly-daek (n) a dyke made of turves.

faerdie-maet (n) food for a journey. *So bairns, here's a coarn o' faerdie-maet for you on your vaige.*

fain (v) to receive with approbation. *Da dog fained aboot him whin he cam in.*

fainly (adj) likeable, attractive. *Shö's a fainly ting.*

fair (adv) completely. *I wis fair scunnered wi him.*

faird (adj) afraid.

fairntickle (n) a freckle.

fairlie (n) a rare occurrence; a wonder. *I'm seen fairlies afore i me time, but dis baets aa.*

fairy's caird (n) fern (*Pteris aquilina*). Also **trowie cairds.**

faize (v) to untwist, as a rope.

faksin (v) waves breaking to form 'white horses'.

fann (n) a drift or wreath of snow. *I'm bön buksin aa moarnin trowe fanns o snaa.*

fant (v) to be very hungry; to famish. *Da bairn mann be fantin. Gie her somethin in her mooth.*

fantation (n) state of extreme hunger. *Wi da lang snaa hit wis a time o fantation for da animals.*

far (n) a boat.

farlin (n) large wooden trough to hold herrings while being gutted by hand.

fash (v) to bother. *I widna fash wi yun if I wis dee.*

fast (n) a boat's mooring-rope. Also **fasti.**

fastibaand (n) a cross-beam running under the thwarts of a boat to secure the frames. Also referred to as **haddibaand.**

fastin hert (adv) without breakfast. *He göd furt dis moarnin apon his fastin hert.*

fecht (n) fight, struggle. *He's hed mony a sair fecht ida face ida ocean.* (v) to fight.

fedder (n) the cutting edge of a tushkar.

feeky (adj) over-concerned with trifles. *What's du sae feeky aboot?*

feelin-herted (adj) sensitive. *Fir aa his gulderit wyes, he's braaly feelin-herted.*

feerie (n) originally a fever to which dogs are liable, for example distemper, but now also applied to an epidemic, usually involving diarrhoea. *Der's a haethenous feerie gyaan aboot so I wid tink twise aboot settin oot for yun dance.*

feespin (pp) moving quickly from place to place, despite being rather feeble. *Pör body, shö's no muckle wirt but shö's aye feespin aboot da hoose.*

feet (n) footwear. *Tak aff dee weet feet, boy, an set dee in ta da fire.*

feetiks (n) untidy tufts of hair hanging over the face.

feevil (n) a light fall of snow.

feft (adj) bespoken. *I doot yun peerie kranset lamb is feft so I canna sell her tae dee.*

fegs (n) used as an expression of surprise or emphasis. *Göd fegs! I never lippened ta see dee da day.*

fell (v) to strike down; to knock out. *'He felled him wi wan blow o his nev.*

fetch (v) to grasp for breath. *He was fetchin an pechin laek a neesik.*

feth (n) equivalent to English 'faith'. *Bi me feth, du's no heard da last o dis.*

fey (adj) bewitched; half-witted. *Du's no fey yit* (said ironically to someone who has done something quite astute).

feyness (n) an apparition of a person regarded as a prelude to his/her death.

fidge (v) to fidget, move restlessly. *He was for ever fidgin an bongin his feet.*

fierdy (adj) able to work; in good condition. *Shö was still a braa fierdy body for her age;* **sea-fierdy** of a boat, in good condition.

fill in phrase *to back an fill*, to go backwards and forwards. *He made a aafil wark backin an fillin afore he got da car turned at da end o da rodd.*

filska (n) high-spirited fun; flighty behaviour. *Shö wis dat full o fun an filska you couldna bit laek her.*

filsket (adj) high-spirited; frisky. *Der nae ill in her: shö's jöst a coarn filsket.*

fim (n) a light covering of anything, e.g. frost, snow, powder.

fin (v) 1) to find, (pt) **fan** (pp) **fun.** 2) to feel. *I'm finnin a lok better da day.*

fir (conj) until. *I'll hae ta bide noo fir da tide turns.*

firbye (prep) besides. *Dey wir twartree dere firbye wis.*

fire (v) to brown oatcakes or scones in the oven; to throw. *Da peerie oolit fired a stane richt trowe da keetchin window.* (n) fuel. *I wiss du wid pit on some mair fire.*

firnenst (prep) opposite to. *I cam apon him firnenst da Loch o Setter;* against. *Dere he is agen — settin up ane firnenst da tidder.*

first fit (n) the first person to enter a house on New Year's morning. (v) to enter a house as **first fit.**

firyat (v) forgot.

fismal (n) small quantity.

fit (n) foot. *I'll gie dee me fit i dee backside if du dösna shift dee.* (v) to knit on a new foot to a stocking.

fitlinn (n) a short length of wood laid against the *baand* of a boat for the oarsman to *paal* his feet against.

fishy-flee (n) blue-bottle fly.

fitless (adj) unsteady; apt to stumble.

fit-rig (n) the piece of land at end of field on which horses or tractor turn with plough.

fit-stramp (n) a footstep. *I widna geng a fitstramp owre da door efter her.*

fitty (n) a short sock covering foot only.

flaa (n) a piece of heather turf torn up by hands and used for thatching. *I'm bön rivin flaas till I'm hurless;* turf cut off top of peat-bank prior to **casting.**

flaacht (n) a flash, as of lightning.

flaachter (v) to flutter; to shake the wings. *Da dog spöllied among da hens an set dem flaachterin.*

flaachter-spade (n) a spade for cutting **flaas.**

flaag (v) to flap loosely and untidily. *Shö wis gyaan wi her cott flaagin ida wind.*

flae (v) to cut turves off surface of peat-bank prior to **casting.**

flakki (n) a mat, originally of straw, over which corn was winnowed.

flan (n) a sudden squall of wind. *Watch whin du's sailin roond da Ness; hit's a bad place fir flans.*

flanny (adj) squally.

flatsh (v) to flatten. *Da hens is fairly flatshed da coarn, bölin among it.*

flatshie (n) a temporary bed, originally of straw, made up on the floor.

flech (n) a flea. Used figuratively to describe a small, unprepossessing person, *a peerie flech o a craeter.*

fleckit (adj) white, with large brown or black spots, as a cow.

flecky (n) a pet name for a spotted cow.

flee (n) a fishing fly.

fleet (n) a set of nets or lines carried by a boat; a set of flies on a **dorroo** for catching mackerel.

fleeter (n) a flat-edged wooden utensil for skimming a pot of liquid.

fleg (n) a fright. (v) to frighten.

flesh (n) butcher meat. *Dey wir jöst set dem in tae a denner o flesh an tatties.*

flickament (n) state of excitement. *Yon onkerry was pitten her in a aafil flickament.*

flipe (v) to fold up a sleeve, trouser, or skirt end in order to shorten it. *He flipit up his troosers an waded in*; to peel off skin. *Da sken wis aa flipit aff o his knees.* (n) a turn-up on a garment. *Yun jacket wid be da better o a flipe on da sleeves.*

fliss (n) a flake, a thin slice. *He rickit da kert-wheel comin oot an took a graet fliss o pent aff o da door.* (v) to peel off. *Eftir we pat yun stuff on, da pent jöst flissed aff.*

flit (v) to move from one house to another. *Wir tinkin o flittin tae wir new hoose neist mont*; to move a tethered animal to fresh grazing. *Da boys göd up owre da rig ta flit da aald ram.*

flite (v) to scold, (pt **flet**, pp **flitten**). *I'm flitten ipo dem nae want.*

flittin (n) act of moving from one house to another. *Boy, wid du gie me a haand wi wir flittin.*

flittin-stane (n) stone used for knocking down stake of animal's tether. *Der little girse growes anunder a flittin-stane* (p).

floamie (n) something flat and spread out. *He hed on a graet floamie o a cott*; a spate, usually of words. *He cam oot wi a floamie o oaths.*

floss (n) the common rush (*Juncus conglomeratus*).

flör (n) floor.

flukra (n) snow falling gently in large flakes.

foally (n) prank, light-hearted fun. *Du canna mean it. Hit's jöst dy foally.*

follow (v) to accompany on a journey; to see home. *I followed her hame fae da dance.*

fock (n) people; the public. *Whit tinks du will da fock say?*; inhabitants of a place. *Da Shetland fock are up in airms aboot dis oil pollution*; members of one's family. *What'll wir fock tink o yun?*

foo (adv) how. *Foo is du?* (adj) full. *A foo plate*; full of liquor; drunk. *He's foo as a wylk.*

fool (n) bird. *Du micht as weel spaek tae da fool i da air as ta him.*

footh (n) a large quantity. *Dey wir laid in a footh o maet for da helly.*

forby (prep) as well as. *Dey wir twartree idders dere forby him.* (adv) as well. *Shö has a hard traachle wi da bairns an da croft-wark forby.*

fore (tae da fore) still living. *I didna ken he was still tae da fore.*

foregeng (n) premonition. *Yun dremm I hed dastreen is a foregeng o something queer.*

fore owre (adv) head first. *He göd fore owre ida gref o da bank.*

foremist (adj) first. *Du's pitten on dee gansey backside foremist.*

forenön (n) morning, forenoon.

foreroom (n) the compartment in a sixern immediately for'ard of the mast.

foreside (n) the front part. *He fan her lyin weel owre tae da foreside o da bed*; the time just before. *Hit was shörly da foreside o twal afore I wan hame.*

foretaft (n) the front seat, next the bow, of a boat.

forfochen (adj) exhausted. *Da pör body wis sair forfochen whin he wan tae da hoose.*

forgie (v) to forgive. *Micht da Loard forgie dee for what du's dön dis nicht.*

forkietail (n) the earwig.

forrard (adv) in the front, especially of a boat. *Set dee doon forrard an dan du'll be oot o da rodd o da rowers.*

forro (adj) applied to a cow which is not in calf but has been milking for over a year; farrow.

forsmo (n) an insult; a snub. *For siccan a forsmo I got whin I göd ta help her an shö closed da door i me face.*

fourareen (n) a four-oared boat.

foy (n) originally a feast held by a boat's crew at the close of the fishing; later applied to a party to mark a special occasion.

fozie (adj) soft and sapless, such as a frozen turnip.

föl (n) a fool; (adj) foolish. *A föl craetir.*

Försday (n) Thursday.

föshinless (adj) tasteless, withered up. *I aye tink a whiting is a föshinless morsel.*

fracht (n) a load or burden. *Mony a fracht o water I'm kerried fae da waal.*

frae (prep) from. Also **fae**. *Whaar comes du frae?*

fram (adv) out to sea. *Dey rowed awa fram.* (adj) far off. *Da fram haaf.*

freend (adj) a relative. *Shö's a faroot freend o wirs.*

freksit (adj) peevish. *A freksit bairn.*

fremd (n) used with the def art — **da fremd**, outsiders, strangers. *He wis on his own wi nane bit aa fremd aroond him.* (adj) strange, unfamiliar. *Dey wir a lok o fremd faces at da dance.*

frimse (n) a display of disdain or peevishness. *Shö never wirt answered me bit göd oot da door in a frimse.*

froad (n) froth.

frugal (adj) generous, liberal. (Interesting usage in that it means the opposite of the English word, e.g. in making a dress, *Mak du hit weel frugal. Shö's a growein lass.*

frush (v) to splutter or spit, as an angry cat; to spurt. *Man, he was fair frushin wi rage.* (n) mass, as of whiskers. *He hed a graet frush o whiskers.*

fun (v) pp of **fin**; prt **fin**, pt **fan**, pp **fun.** *I'm fun yun ellishon I wis hunsin for.*

funs (n) enjoyment. *What funs we hed whin we wir young.*

furr (n) a furrow.

furt (adv) outside the house; out-of-doors. *Hit's braaly coorse furt da nicht.*

fyaana (n) small celebration.

fyaarm (v) to flatter, to fawn. *Shö was for ever fyaarmin an kyoderin aboot you.*

fyunk (n) stench.

G

gaa (n) gall, bile; a parhelion or mock sun, regarded as a portent of bad weather. *A gaa afore (or ahint) da sun.*

gaa-bursen (adj) breathless with extreme effort. *Boy, I'm shasted yun condwined yowe till I'm gaa-bursen.*

gaa-girse (n) stonewort (*Chara vulgaris*). At one time the plant was boiled and given to cattle as cure for liver diseases.

gaan (v) to gaze with open mouth. *He stöd gaanin aboot him sam as he was seen a ghost.*

gaase (v) to force, compel. *He gaased me laach mony a time.*

gaat (n) a castrated male pig. Nickname given to native of Weisdale.

gab (n) the mouth. *I wiss du wid hadd dee gab for a meenit.*

gabbord (n) the board in a boat next to the keel.

gadderie (n) gathering. *Dey wir a braa gadderie o fock at da crö.*

gadge (interj) an exclamation of disgust at something unpleasant. *Gadge! For siccan a taste.*

gaep (n) a gossip. *Dat is a gaep o dirt.*

gaepshot (adj) having the lower jaw protruding beyond the upper jaw.

gaeslin (n) gosling.

gaet (n) a footpath. *Dey göd doon da gaet tagidder*; a journey. *He's*

traivelled mony a weary gaet i his time.

gaff (n) a loud laugh; a guffaw; (v) to laugh loudly.

gaffin (n) immoderate laughing. *For sic a gaffin dey set up.*

gaggit (adj) annoyed. *He keepit irpin on aboot it till I got fair gaggit wi him.*

galder (n) a loud, boisterous laugh. *Hears du da galders o yun eediot.*

galdery (n) a large, barn-like building. *Dere he wis, bidin him-lane in a graet galdery o a hoose.*

ganfer (n) an apparition of a living person, regarded as a portent of that person's death.

gansey (n) a jersey.

gant (v) to yawn. *Is da denner no ready yit? I'm gantin me head aff.*

garron (n) a large, square-shaped nail.

gavel (n) gable of house.

gear (n) possessions. *He's gaddered a lok o gear aboot him.*

geel (n) ripple on surface of water.

geng (v) to go; to walk (pt **göd**, pp **gien**, prp **gaan**). *I'll hae ta geng noo afore hit's owre late.* (n) a row of stitches in knitting. *I wis on me second geng o a hap whin shö cam in*; a team of people delving with a Shetland spade. *We wrocht aa day wi twa geng o spades.* Also used in a number of phrases: *geng dee wis*, go your ways. *Geng dee wis*

29

ben trowe; gyaan aboot, on the go, as an epidemic. *Der's a feerie gyaan aboot; da gyaan fit is aye gyittin,* the active person is always liable to survive.

genner (n) a gander.

gertan (n) a garter.

gey (adv) considerable. *Hit wis a gey lang vaige at dey hed ta mak.*

gie 1) (v) to give, pt **gied**, pp **gien**. 2) (n) give. *Der no muckle gie i yon joopie.*

gien at persisted. *Shö was gien at her midder aa day ta lat her geng tae da dance.*

gien in shrunk. *Yun gansey is fairly gien in fae du wösh him.*

gimmer (n) a female sheep, between the first and second shearing and not yet had a lamb.

gird (n) a barrel hoop; a child's hoop, used as a plaything; (v) to put hoops on a barrel.

girn (v) to snarl. *He could hear da dog girnin ahint da door;* to complain; to be peevish; to grimace. *Shö wis aye girnin aboot something.* (n) a snarl; a complaint; a grimace.

girnal (n) a big meal-chest.

girny (adj) peevish, as of a child.

girse (n) grass.

girsy (adj) grassy. *Da neap-rig wis gien aafil girsy for want o howin.*

gizzen (v) to dry up, as wood, and become leaky. *Da aald boat is lyin ida noost dat lang at shö'll be aa gizzened up an 'll need a göd cott o tar.*

glaar (n) a mess.

glaep (v) to gulp, to swallow greedily. *De heuk was nae shöner ida watter as da troot glaepit him.* (n) the act of swallowing greedily.

glafterit (adj) boisterously jolly. *Hears du da onkerry o yun glafterit craetir.*

glaiket (adj) witless, irresponsible.

glansin (adj) sparkling. *Boannie glansin een.*

gleg (adj) mentally alert; very observant. *Shö's a gleg aald body yun, for aa her age.*

glegness (n) sharpness, cleverness.

glerlit (adj) glazed. *I kent bi da glerlit look o his een at he was far awa wi it.*

glim (n) a gleam. *Dey wirna a glim ida fire whin I wan hame.*

glinder (v) to peer through half-shut eyes. *I winder what he's staandin glinderin ida heevins for?*

glink (v) to gleam. *Da mön was glinkin oot ahint da cloods.*

glisk (n) a glimpse. *Ye dönna see da simmer pass, Rose-red wi lammer een; You see a glöd o blue an gold, A glisk o white an green.* (Vagaland, Hjalta).

gloor (n) a faint light, a glimmer. *I could jöst scrime some-een sittin ida shair wi da gloor fae da fire;* half-light, dusk. *I wis awaar o a body comin alang da rodd ida gloor.*

glower (v) to stare intently. *Shö glowered at da mön an lichtit ida midden* (p).

glowerit (adj) lurid, as of a red sky; excessively colourful, as of a dress. *For sic a glowerit froak I'm never seen.*

gloy (n) clean, straight straw used for making kishies or in thatching.

glöd (n) a glow of heat or light, as from a fire or the sun. Used figuratively as *His face was in wan glöd o passion.*

gluff (n) a fright. *I got datna gluff I could hardly spaek*; a scarecrow; (v) to frighten.

glumse (n) an abrupt, rude reply. *Whin I axed him foo he was he jöst up wi a glumse an telt me ta mind me ain business.* (v) to reply abruptly.

glunsh (v) to swallow food greedily. *Da pör bröt glunshed every nev o maet I gae him — he wis ida reeirs o fantation.* (n) a greedy gulping of food.

gly (v) to squint, to look side-ways. *He glyed up an doon ower me sam as I was come fae anidder wirld. Shö was staandin laek a dyeuk glyin for thunder.*

glyed (adj) squint-eyed. Sometimes **gly-eyed.**

gock (n) a simpleton, a fool. (v) to drift around aimlessly. *I winder what he's gyaan gockin aboot for?*

göd pt of go; p **go**, pt **göd**, pp **gien.**

gödably (adj) 1) barely. *I had gödably won ta da door.* 2) easily, without hindrance. *I managed gödably ta git in an fan naebody dere.*

göd claes (n) best clothes. *Du soodna hae on dee göd claes whin du's playin furt.*

gödless (adv) used to strengthen an adj. *He wis most gödless coorse.*

göd's mak (n) God's creation. *Wir jöst aa Göd's mak.*

da göd man (n) God.

da göd place (n) Heaven.

gogar (n) anything large of its kind. *A graet gogar o a nail.*

gogie (n) a louse.

gointek (n) the rope by which the girth is fastened to the pack-saddle of a pony.

gomeril (n) a fool.

goom (n) the gum.

goosel (n) an unsteady, gusty wind. *Da gale started wi a goosel o wind fae da nor-aest.*

gori (interj) an exclamation of surprise, *Oh, my gori!*, a mild form of oath.

gorstie (n) a ridge of ground left uncultivated as demarcation between two plots of arable land.

gorstie-girse (n) grass growing on ridges as explained above. *Betty Bunt at bedd in Virse, Was risking reeds an gorstie-girse.* (Basil R. Anderson, *Broken Lights*).

gotna didna get. *I gotna mony piltocks but hit wis a glorious nicht ta be apo da voe.*

gowan (n) yellow marsh ragwort (*Senecio aquaticus*). Used as simile to convey yellowness. *Eftir da jaandice he was as yallo as da gowan.*

gowl (v) to weep loudly, to howl. *Da bairn has been gowlin his head aff dis past oor.* (n) a loud cry or howl.

gowster (v) to speak in a loud, overbearing manner. *What he roared an gowstered an took on at da pör wife.* (n) a strong gale.

gowsterit (adj) overbearing and blustering.

gölbröl (n) a very loud bellow. *Da bull lat oot da most gödless gölbröl I'm ever heard.* (v) to bellow loudly.

gölgriv (n) open drain from byre to midden; liquid manure found in this drain.

gös (n) a goose.

göt (n) threshold. *I'm sure we'll never see him owre da göt o wir door again.*

gözren (n) the gizzard.

grain (n) a small quantity. *I'm feelin a peerie grain better da day.*

gravit (n) a scarf or muffler.

gree (n) the fat given off from the boiling of fish or fish livers.

greemik (n) a rope halter for cattle.

greenbowe (n) a scouring condition of sheep after coming on to green grazing after the heathery hill.

green paek (n) first grass in Spring.

greest (n) a spell. *We sat dere becaamed sam as a greest hed bön cöst apo wis.*

greet (v) to cry, pr t **greet**, pt **gret**, pp **grutten**, used in phrases: *at her greetin een*, blubbering; *greetin drunk*, at the tearful stage of intoxication.

greety (adj) prone to cry easily, as *a greety bairn.*

greetie-gowlie (n) derogatory term given to child who is always crying.

greff (n) bottom of peat-bank.

grein (v) to yearn, especially for food. *Fae I felt da smell o it fae da pot I'm bön greinin for a piece o yun reestit mutton.*

greemit (adj) of cattle, having a white face with dark spots or stripes; of humans, having a greyish or begrimed face. *He was braaly greemit laek aboot da shocks eftir da 'flu.*

gremster (n) an unusually low ebb-tide.

greth (n) urine.

grethy-cloots (n) napkins for a baby.

grethy-pot (n) chamber-pot.

grice (n) a pig.

grice ingan (n) vernal squill.

grice mites (n) very small potatoes suitable only for pig food.

grind (n) a gate. *Da kye was aa gaddered aroond da hill-grind.* **hillgrind**, the gate in the dyke separating hill-pasture from enclosed arable.

grindin (n) the purring of a cat.

grip (v) of a disease or ailment, to seize. *Da fivver grippit me jöst at da back o denner.*

grit (adj) large, bulky. *Yun's owre grit ta win trowe da barn-door.*

groff (adj) coarse in texture, rough; harsh, as the voice. *A muckle, groff hedder-kowe wis splendid for sweepin lums.*

groff-siv (n) a sieve with large holes.

groint (v) to grunt; (n) a grunt.

grop (n) drizzle.

grottie-buckie (n) type of cowrie shell (*Cypraea europaea*).

grovel (v) to grope around in the dark. *I grovelled me wye trowe da dark transe till I fann da door-handle.*

gröflins (adv) prostrate, on all fours. *I trippit owre da dog's tedder an göd gröflins ipo da flör.*

gröt (n) sediment of oil from fish-livers; hence any thick, liquid mess.

grötti-barrel (n) a barrel for holding oil from fish-livers.

gruel (n) porridge; by extension, anything messy.

gruel-tree (n) wooden stick for stirring porridge.

gruelly-bag (n) nickname given to a person from Whiteness.

grumlie (adj) of water, muddy, full of sediment. *Da burn was aafil grumlie eftir da uplowsin.*

grummel (v) to make water muddy. *Try an no grummel da burn till I git a pail o clean water.*

grunds (n) sediment , dregs.

gub (n) foam, froth, lather. *Der's no muckle gub wi dis sopp.* (v) to lather.

guddick (n) a riddle; phrase. *To lay up guddicks,* to ask a series of riddles.

gue (n) two-stringed violin used at one time in Shetland.

guff (n) a smell, usually unpleasant. *Da guff o da gut factory aboot lays you by*; puff or whiff, as of smoke or wind; (v) to puff, as smoke. *Da smok was fairly guffin oot da lum.*

guggle (v) to defile, besmear. *He was jöst guggled fae head ta fit in oil.* (n) a mess, as applied to a piece of work which has been badly done. *Du's made a aafil guggle o paintin yon door.*

guideship (n) treatment. *Yon ting o bairn is hed pör guideship fae da day shö was boarn.*

guize (v) to go in disguise at a festival. *Is du gyaan a-guizin dis year?*

guizer (n) a person in disguise taking part in a festival, Hallowe'en, Christmas, Hogmanay, Up-Helly-Aa.

guizer jarl (n) the principal guizer in the Up-Helly-Aa festival.

gulder (v) to speak angrily. *Yun gulderin o his pits aabody aff.* (n) outburst of angry speech. *He cam oot wi a gulder an da bairns fled.*

gulmoget (adj) having a dark body with a light breast or belly, as a cow.

gulsa (n) jaundice.

gulsa-girse (n) the buckbean or marsh trefoil (*menyanthes trifoliata*). When boiled in water the juice was given to cattle as a cure for jaundice.

gundy (n) home-made toffee consisting of sugar, butter and treacle or syrup.

gunnie (n) a louse.

gurblottit (adj) badly washed, as clothes. *Shö was a pör-lookin eemage wi her uggled face an gurblottit claes.*

gurm (v) to engage in dirty work. *I'm bön gurmin aa day i yon guttery rig hentin tatties.*

gurmullit (adj) having a dark or dirty face.

gurr (n) mucous gathered in corner of eyes. *He was sleepit in an hedna wirt gotten da gurr oot o his een.*

gutriv (n) the anus of a fish.

gyill(n) the head of a valley where the hills on either side meet, forming a steep-sided hollow.

gyo (n) a creek in the seashore with steep, rocky sides.

gyola (n) thin butter-milk. also **druttel.**

gyoppm (n) quantity of anything gathered up in both hands. *Boy, I wiss du wid gie da hens twartree göd gyoppms o mell.* Also **gyoppmfoo.**

gyurd (n) gift.

H

haa (n) a laird's house.

haaf (n) the deep sea beyond coastal waters; the deep-sea fishing carried out 30-40 miles offshore in open boats.

haaf-man (n) a fisherman engaged in deep-sea fishing.

haagless (adj) remorseless. *Mony a day he's lyin kyempin ida face o a haagless sea.*

haandigrips (n) physical blows. *Boy, try an settle doon yon twa föls afore dey git ta haandigrips.*

haand's turn (n) a stroke of work. *He hedna dön a haand's turn da hale day.*

haandless (adj) clumsy with hands. *Du's no gien yon haandless craetir a len o dee saa, is du?*

hack (v) of the skin, to chop. *His haands wis fairly hackit wi wirkin ida water gadderin lempits.*

hadd (v) hold, pt **höld/held**, pp **hadden**, *hadd du on fast an we'll be aaricht*; continue in a certain direction. *Hadd nort alang da banks an du'll come ta wir noost*; to observe a celebration. *Dey wir wint ta hadd Aald Yöl no dat lang fae syne*; stop. *Hadd dee a meenit til I hae a smok*; (n) hold. *Gie me a haad o him*; a support. *He wis still able ta arl alang apo da hadd*; animal's lair. *Dey cam apon a otter's hadd doon by da loch.* Phrases: **Hadd aff**, keep off. *Hadd aff o me till I git me braeth.*

Hadd at, keep at it. *Jöst du hadd at an du'll come oot tapster yit.* **Hadd awa**, keep away. *Hadd awa oot owre, dog!* Common instruction from shepherd to sheepdog. **Hadd for**, to make for. *Da last I saa o da aald almark shö was hadden for da Aest hill.* **Hadd in**, to keep close to. *If du hadds in alang da banks du'll aisy finn da noost*; to be continent. *Du'll jöst hae ta hadd in, my bairn, till we win hame.* **Hadd oot**, persist. *I widna sell dee coo for yun figger; jöst hadd du oot for mair.* **Hadd oot a langer**, to entertain. *Da aald man höld da bairns oot a langer aboot da nicht bi tellin dem stories.* **Hadd sae** (v) pause a moment. *We better hadd sae till we see what dis wadder is gyaan ta dö.* **Hadd up**, remain fair, as in weather. *Tinks du, will dis wadder hadd up for muckle langer.*

haddibaand (n) the cross-beam under the thwart which fastens the frames of a boat. Also **fastibaand.**

hagmark (n) a mark indicating boundary between two hill pastures.

hail (v) to pour off, as sweat. *He set aff agen wi da swaet hailin aff o 'im*; to haul fishing-lines on board. *We started hailin da lines as fast as we could.* (n) a catch of fish. *Hit*

34

was as göd a hail as we'd hed for da saison.

hailin kabe (n) the thowel-pin over which the fishing line is **hailed**.

haily-puckle (n) hail-stone.

hain (v) to use sparingly. *Du man hain apo da saat: hit's aa we hae.*

hair (n) a minute particle; used in phrase *hide or hair. I'm never seen hide or hair o yun moorit ram fae I slippit him.*

hairse (adj) hoarse, as of a voice. *Du can spaek till du's hairse: he'll never leet dee.*

hairy-möldit (adj) covered with green mould, as bread or cheese.

hairst (n) the harvest; the work associated with that season. *Da hairst'll shö be comin on, wi aa hit's wark*; autumn. *Dey mairried ida hairst.*

hairst-blinks (n) summer lightning.

hairst-rig (n) a field where harvesting is taking place.

hairst mön (n) harvest moon. *Shö hed a face laek a hairst mön.*

hale (adj) whole. *Da hale neebrid kent aa aboot it*; undamaged. *Every egg was hale although he'd faan twartree times wi dem.* (n) whole. *I wid laek da hale o't mesel.*

hale-an-hadden (adj) absolutely whole. *I'm sitten here da hale-an-hadden nicht an seen not wan livin sowl.*

half-gaets (adv) halfway. *Wir mair as half-gaets dere.* Also **halfwye.**

half oot afore (n) a sheep mark in which the upper half of the fore side of the ear is cut off.

half oot ahint (n) a sheep mark in which the back part of the ear is cut off.

halliget (adj) wild, given to unrestrained behaviour. *Der's nae sayin what yon halliget craetir'll git up tae.*

hallo (n) a bundle of straw made up for feeding to cattle.

hallowe'en (n) October 31st.

halvers (n) one of two equal shares, *ta geng halvers wi*, to go halves with someone; (adj) applied to stock held in parnership, *da halvers coo.*

hame (n) home; (adv) at home. *I'm bidin hame da day.*

hame-aboot (adj) homely. *Shö was a kind moaderate, hame-aboot body.*

hamefir (n) celebration held on arrival of bride at her new home after the wedding.

hame-trowe (adv) homewards. *I'll need to be makkin hame-trowe afore he darkens.*

hank (v) to gather up a line into coils. *Hank up yon tedder, will du.* (n) the part of a boat where the side plank turns towards the stem or stern. Commonly in plural, *eft hanks, fore hanks*; a skein of yarn, approximately 300 yards long, also known as a **cut.**

hansel (n) a gift to commemorate an inaugural occasion, the launching of a new boat, birth of a child, a new home, new enterprise. *I mann gie dee a hansel for dee new boat.* (v) to give such a present. *Lass, I'm never hanselled da bairn.*

hansper (n) muscular pains or stiffness in legs, usually after a long walk. Also **creeks, spaigie.**

hantle (n) a considerable quantity. *Der a hantle o fock ida neebrid at's winderin what's gyaan on.*

hanvaegin (v) putting off time. *Du's jöst sittin dere hanvaegin an döin naethin aboot it.*

hap (n) hand-knitted shawl; (v) to enfold, to cover. *Hap dee up weel afore du gengs furt.*

happer (v) to hinder, to obstruct. *Yun muckle böts'll jöst happer dee.*

hard darkenin (n) the very last of the daylight. *He jöst wan ta da hoose i da hard darkenin.*

hark (v) to whisper. *Come dee wis here an I sall hark i' dee lug.*

harl (v) to walk slowly and feebly. *Da pör craetir was jöst able ta harl aboot.*

harned (adj) hardened. *He's been at sea fae he was fourteen an he's gotten harned til it.*

harnpan (n) skull.

harns (n) brains. *Yon een wisna blissed wi muckle harns.*

harr (n) the upper of the two pieces of a wooden door-hinge.

harsk (adj) harsh, unpleasant, as weather.

haslock (n) the wool under a sheep's neck, supposed to be the softest wool of the fleece.

hass (n) the throat. When used in expression *Hit's gien doon da wrang hass*, it means the wind-pipe.

hassens (n) the boards in a boat next to the garboard.

haste dee (v) hurry.

hatter (v) to treat roughly, to harrass. *Dis spell o coorse wadder'll fairly hatter da lambs.*

haver (v) to talk foolishly. *What's du haverin aboot?*

head (n) a measure of yarn, four hanks; an individual animal. *Wir hed six head o kye ta feed aa winter.*

headicraa (n) a somersault; (adv) head-over-heels. *He göd headicraa ida stank.*

headlicht (adj) giddy, light-headed.

headlins (adv) headlong. *Da yowe göd headlins ower da banks.*

heads ta traas (adv) the position of two or more things, or people, laid together with their tops and bottoms, or heads and feet, alternating. *Dey wir fower bairns ida bed, laid heads ta traas.*

head-rig (n) the piece of land at the end of a field on which horse and plough turned during plough-ing, to be eventually ploughed crosswise when main area is completed.

hear (v) used idiomatically in phrases: *ta hear apon,* to listen to. *I wid never hear apon ony ill said aboot dee; I hear dee,* expression suggesting agreement but with a measure of scepticism.

hearin (n) a report or story, heard with incredulity. *For sic a hearin as yon is! What's da wirld comin til?*

heave (v) to throw, pt **höv**, pp **höved**. *Da bairns wis bön hövin stanes at da ponies.*

heck (n) a crutch.

hed (v) had, pt of **hae**, *I'm hed as göd kale i me cog* (proverb) I've seen better.

hedder-kowe (n) a large, bushy plant of heather.

hedderkindunk (n) a seesaw; the game of playing seesaw; by extension, anything bobbing up and down, as *Da batten was gyaan hedderkindunk ida shoormal.*

heeld (v) to lean, to tilt. *Da hay-dess is heelded owre wi da gale*; to overturn; (n) the close of the day, when the sun is slanting in the west. *Dis rain micht clear up ida heeld o da day.*

heft (n) the handle of an implement; (v) to fit with a handle. *Da aald man was sittin heftin spades.*

hegri (n) heron (*Ardea cinerea*); used as a nickname for a tall, thin type of person.

heicht (n) top. *He was won apo da heicht o 'im.*

hellick (n) a large, flat rock sloping down to the seashore, suitable for use as a landing-stage.

hellisom (adj) pleasant in manner, amiable.

helli-möld (n) burial ground, literally holy earth.

helly (n) the weekend. *Da fishermen wir blyde ta win hame at da helly.*

helyer (n) a sea-cave into which the tide flows.

hems (n) three strips of wood placed round the neck of a sheep in triangular fashion to prevent it going through fences.

hench (n) the haunch.

hench-bene (n) haunch-bone.

hench-head (n) top of haunch.

henk (v) to walk with a limp.

hent (v) to gather, collect, *Wir taen aa day hentin tatties.*

hentins (n) gleanings. *You see da lukkaminnie's oo, In hentins, spread an drift* (Vagaland, *Hjalta*).

hentilagets (n) tufts of wool lost from sheep's backs and gathered from pasture. By extension, odds and ends.

herald deuk (n) red-breasted merganser (*Mergus serrator*).

herlane (adv) by herself.

hersel (pron) herself. Used in phrase *by hersel*, to mean out of her mind. *Wi aa da toarment an grief shö was gien by hersel.*

hert (n) heart; stomach. *Boy, du manna geng oot on dee fastin hert.*

hert-holl (n) the very centre. *Dere was I, ida hert-holl o da nicht, on me own wi a caavin coo.*

hertscad (n) heartburn.

hert-sten (n) hearth-stone.

hesp (n) a skein of yarn for spinning, from 400-500 threads according to their thickness. *A reffled hesp ta redd* (p), a tangled situation to clear.

heth (interj) a mild oath. *Heth! I'll gie dee da back o me haand if du dösna watch oot.*

hicksi (n) the hiccups.

hiddle (v) to hide. *Hit's weel hiddled awa.*

hidmost (adj) hindmost, last. *I doot da aald yowe göd wi da hidmost snaa.*

hide (n) skin. *I wis laid ta da hide afore I wan hame.*

hide nor hair see **hair.**

hill-gaet (n) track through hill.

hill-grind (n) gate between township and hill pasture.

himlane (adv) by himself. *He was sittin dere himlane ida muckle hoose wi never a sowl near him.*

himst (adj) touchy, huffy; flighty or foolish in manner. *Shö's aye bön a queer, himst body.*

hinder (v) prevent. Used idiomatically, *Du'll no hinder him/her*, to suggest surprise and a measure of outrage, *Whin me back was turned du'll no hinder him ta staand makkin a föl o me.*

hinny (n) darling, sweetheart.

hinny-spot (n) the three-cornered piece of wood which connects the gunwales of a boat with the stem.

hinnywar (n) an edible seaweed (*Alaria esculenta*).

hint (v) to steal in and out quietly; to flit. *See's du da cat hintin in trowe da barn-door.*

hip (v) to omit; to pass over. *He göd trowe maist o da letter but hippit twartree bits.*

hippen (n) a baby's nappy.

hird (v) to gather in crops at harvest.

hirda (n) chaos, extreme untidiness, smithereens. *Da but-end was lyin in hirda.*

hirnik (n) a corner, hiding-place. *I hunsed trowe every holl and hirnik*; a small portion, used figuratively as *An dey're left ta face da storms o Winter Wi no a hirnik o da kin* (Vagaland, *Alamootie*).

hirple (v) to walk with a limp.

hiss-hass (v) state of confusion and unrest. *Bairns, I canna pit up ony langer wi dis eternal hiss-hass.*

hit (pron) it. Generally used in this form at beginning of sentence or to be emphatic. *Hit's ill ta hae an waar ta want! Der nae want o hit aboot.*

hit (v) to strike, pt **hat**, pp **hitten**; to throw. *Yun's for nae ös, lass — hit it ida burn.*

hitsel (pron) itself.

hivvet (n) a swelling; a lump.

hoch (n) the back of the thigh; the thigh itself.

hochbend (v) to tie a cord above the joint (hoch) of an animal's hind leg to constrict the sinew, as of a cow to prevent her kicking while being milked.

hock (v) to dig. *He's for ever hockin an slesterin ida rig.*

hockin (adj) very hungry. *A hockin bröt.*

hoe (n) piked dog-fish (*Squalus acanthias*). Nickname given to native of Lunnasting.

hoe-moothed (adj) having a protruding upper jaw, like a dog-fish.

hoid (v) to hide.

hoidie-holl (n) hiding-place.

hoilter (n) a big, ungainly person. *First I kent was yon graet hoilter o a craeter laandin i me lap.*

holm (n) an islet.

hooch (n) a shout uttered during a country-style dance; (interj) the shout itself; (v) to utter such a shout.

hookers (n) the bended knees. *He set him doon apon his hookers an spak ta da peerie lass.*

hoorkle (v) to crouch. *He was sittin hoorklin anunder a broo.*

hooro (n) a tumult or uproar. *What a hooro dey made whin da news cam trowe.*

hoosomever (adv) however.

hoose (n) house.

hooter (v) to silence by threats. *I wiss du wid geng an hooter yon yalkin dog.*

horn-towes (n) cow's tether in byre.

horrid (adv) very. Used to convey intensification of meaning, not disapproval as in English. *Yon gansey is most horrid boannie.*

horse-gock (n) the snipe (*Capella gallinago*).

host (n) a cough; (v) to cough.

houb (n) a lagoon at the head of a voe.

höld (v) held.

hömin (n) the evening twilight. *He wan hame jöst ida hömin.*

höv (v) to heave, to throw. *He höved da parcel ida back o da car.*

hövi (n) a basket woven from straw or docks, used for carrying bait or fish.

howdie (n) a midwife, formerly applied to untrained local women.

howe (v) to hoe; (n) a hoe.

hubbelskyu (n) uproar.

hubbit (v) 1) blamed in an underhand way. *He wis hubbit wi it.* 2) driven away because of accusation. *He wis hubbit oot o da place.*

hufsi (n) homemade cake, recipe unspecified.

huggistaff (n) a gaff; an implement consisting of a large hook on end of stout handle used for hauling large fish aboard boat when they have been brought to the surface with the line.

hull (v) to hollow out. *Da rabbits was hulled oot da herts o a lock o neaps.*

hulter (n) a large boulder or lump of rock.

humlibaand (n) a loop of rope through which an oar is pushed, allowing it to move a controlled distance on the **rooth.**

hummelled (adj) chafed, worn, as a piece of driftwood.

hund (n) a dog; (v) to chase off. *He hundit da sheep oot o da yard.*

hundiclock (n) the great winged beetle.

hunkle (n) a shrug of the shoulders. *He gied himsel a hunkle but never said a wird.*

hunkse (v) to lift or heave upwards, usually on to shoulder; to hoist. *He hunksed da seck weel up owre apon his shooders.*

hunse (v) to hunt for, to rummage. *He's aye hunsin for gear oot at da dump.*

hurd (n) a big boulder on seashore.

hurl (v) to push, to drive, to pull along on wheels, to trundle. *I met him hurlin a borro up da gaet.* (n) a ride in a wheeled vehicle. *I'm bön for a hurl ida new car;* the sound of heavy breathing resulting from phlegm in the throat or chest. *I'm hed a hurl at da breest ever since da 'flu.*

hurl-borro (n) a wheelbarrow.

hurless (adj) exhausted. *I'm flaan poans till I'm hurless.*

hurr (v) to make a whirring sound, as a spinning wheel.

hush (n) the low persistent sound of a rolling sea. *Hit wis aa quiet less da hush o da sea;* a large quantity or number; an abundance. *For siccan a hush o fock der wis at da kirk yesterday.*

hushie-baa (n) expression used when lulling a child to sleep. *Hushie-baa, my currie ting* (L. J. Nicolson, *Shetland Lullaby*).

hyocklebane (n) shoulder-blade.

hyook (n) a sickle; a fish hook.

I

i (prep) in. *Da boats i da noost.*

idder (adj) other, different. *Dey wir nae idder wye ta dö it.*

idders (pron) others. *He's jöst da sam noo as neebors an idders.*

idle-sit (n) situation where no work is or can be done.

igg (v) to incite. *I tocht better o'm — staandin dere iggin da peerie bairns on.*

ill (adj) bad. *He's no sic a ill sowl; Hit's ill ta hae an waar ta want;* harsh, severe. *Shö was aafil ill wi da bairns.* (n) evil. *Der's nae ill in 'im;* harm. *I sall see nae ill comes at dee.* Used variously in phrases: *Hit's no dat ill,* It's not too bad; *ta tak ill wi,* to take badly with. *He took ill wi livin hissel eftir his wife deed; ta tink ill aboot;* to feel sorry for. *I tocht ill aboot da pör sowl livin himlane.*

ill aff (adj) poor, needy. *Fae da man deed der truly bön ill aff;* having little choice. *He was shörly braaly ill aff for company afore he took Baabie.*

ill-best (adj) the best of a poor bunch. *I'm hed a pör lambin dis year: yon moorit een is da ill-best among dem.*

ill-bistet (adj) awkward. *For sic a ill-bistet craeter.*

ill-döer (n) a person who behaves badly. *Ill-döers are aye ill-dreeders* (proverb), those who do wrong are always suspicious of others.

ill-faared (adj) ill-favoured, ugly.

ill helt (interj) an expression of annoyance. *What ta Ill Helt is du dön yon for?* By extension, the Devil. *He could run laek da very Ill Helt.*

ill-laek (adj) ugly.

ill-luckit (adj) unlucky.

ill-naitered (adj) irritable.

ill-pairted (adj) unfairly divided. *My joy, du'll hae ta mak da best o it, for du weel kens dis wirld is ill-pairted.*

ill-spaekin (adj) given to slander. *Dat's a ill-spaekin trash.*

ill sunse (n) bad luck. Used as a malediction. *I'll sunse sit ithin da haands at's dön dis ta me.*

ill-trickit (adj) full of mischief and tricks.

ill-trivven (adj) undernourished.

ill-vaandit (adj) disagreeable. *Shö's aye bön a ill-vaandit craetir at got on wi naebody;* badly or carelessly done, as of work. *Yon's a ill-vaandit job if ever I saa een.*

ill-vicket (adj) wicket.

ill-willied (adj) bad-tempered. *Ee ill-willied coo'll brack up a hale byre* (proverb), one bad-tempered person will destroy the harmony of a group.

ilska cry (n) death cry.

ime (n) soot formed on outside of kettle or pot.

immense (n) a large number. *I'm made an immense o jimpers dis past winter.*

imper (v) to utter a sound; to make a slight remark. *Dunna lat me hear a imper fae dee aboot takkin da boat wi dis aafil wadder.*

inbi (adv) in from the door, towards the fire. *Du'll finn him inbi bi da fire.*

innadaeks (adv) inside the township dykes. By extension, near home. *Du better bide innadaeks wi dis coorse wadder.*

inbiggit (adj) obstinate; morose and uncommunicative. *Du'll never git yon inbiggit craetir ta change his mind.*

inbös (n) welcome. Generally used negatively. *Du'll no git muckle inbös dere,* You are unlikely to receive a welcome there.

incomin (adj) shortly to come, as in period of time. *Wir lippenin somethin wi postie dis incomin week.*

infield (n) best land, used for intensive cultivation and usually nearest dwelling houses.

inhad (n) a bare sufficiency; just enough. *In pör times, folk jöst hed a inhad o life an nae mair.*

inside claes (n) underclothes. *Is du mindit ta tak clean inside claes wi dee?*

intil (prep) into, in the sense of understanding. *Is du gotten intil yon book yit?*

irg (v) to provoke or incite.

irp (v) to grumble or complain continually. *He irped on aboot it till I could a soved him.*

is (v) used as auxiliary instead of has or have. *Whaar is du bön, my jewel? What's dis du's dön?* (pron) us, West-side usage, *Yun's nae ös ta is.*

ithoot (prep) without. *He göd ithoot sayin a wird.*

J

jalouse (v) to suspect. *I tocht naebody kent, but me midder jaloused I was gyaan wi a lass.*

jamp (v) jumped. pt of jimp, pp **juppm.**

jander (v) of a female animal, to be in heat. *Du better keep da bick in — I doot shö's janderin.*

jantry (n) gentry. Nickname given to native of Mid Waas.

jap (n) short, choppy motion in the sea. *We hed ta caa canny gyaan up da soond wi da wasterly jap.*

japple (v) to splash with feet in water. *Da bairns wis for ever japplin ida burn.* (n) slush. *Da gaet was in wan japple o dirt efter da towe.*

jee (v) to move slighly, to shift. *We tried what we wir wirt to muv yon muckle sten but we never jeed him.*

jeely (n) jam.

jeely-jar (n) jam-jar.

jewel (n) term of endearment. *My jewel, what ails dee?*

jimp (v)m,to jump, pt jamp, pp **juppm.**

jocktaleg (n) a large pocket-knife.

johnsmass (n) June 24th.

johnsmas foy (n) the celebration which used to be held by Dutch fishermen before the Shetland herring fishery commenced.

johnsmass floor (n) ribwort plantain. (*Plantago lanceolata*).

joob (n) originally a deep part of the sea, now deep mud or mire. *Yon rig was in wan joob afore he was drained.*

jookerie-packerie (n) trickery, deceit. *I wat he's bön up ta some jookerie-packerie — you canna trust him wan bit.*

joopie (n) a woollen shirt or singlet.

jorum (n) entertainment, fun. *I don't tink he laeks bidin oot yonder; der no enyoch jorum.*

joy (n) term of endearment. *Yiss, my joy, tak du a sweetie.*

julk (v) to squelch. *I took a short-cut ower da hill an afore I wan hame me feet was julkin.*

K

kaam (n) the mould in which fishing leads etc. are cast.

kabe (n) the thowel-pin of a boat.

kame (n) a comb; a ridge of hills, used as a place-name; (v) to comb.

kan (n) ability, skill, knack.

kapp (n) wooden bowl.

kavvel (v) to take the hook out of the mouth of a large fish by means of stick with a notch at its end.

kavvelin-tree (n) the stick used for above operation.

kecksie (n) hogweed or cow parsnip (*Heracleum spondylium*).

ked (n) the sheep-tick (*Melophagus ovinus*).

keek (v) to peer. *Dey wir aa staandin keekin in da window.*

keel (v) to fall, to be overturned. *He fell asoond an keeled ower ida stank.* (n) the small of the back. *Dere he was, lyin apo da keel o his back, no döin a haand's turn.*

keeldracht (n) covering of iron or oak on boat's keel to protect it when the boat is being drawn over beach.

keeng (v) to mend broken crockery by using metal clasp, usually of pewter.

keetchin (n) something savoury added to plain food to make it tasty. *Better a moose ida kale as nae keetchin* (p).

ken (v) to know.

kenno (v) don't know. *I kenno what's come owre dem.*

kendlin (n) live coals used to re-kindle a fire; pieces of wood or other material used for lighting a fire.

kennin (n) a very small quantity; a trifle. *Onybody can geng a kennin wrang noo an agen.*

kent (adj) known. *Hit's fine ta see a kent face.*

kep (v) to intercept. *Wid du staand yonder ta kep da sheep as dey come oot da gate?*

kettle (v) of cats, to give birth to young.

kettlin (n) a kitten.

key (n) mood. *Shö's in a braa göd key da nicht.*

kiarr (n) form of English coir; rough fibre for making ropes.

kibby (adj) anxious. *I wisna owre kibby ta geng furt on sic a nicht.*

kilt (v) to tuck up skirts to leave legs free. *Shö kilted her cotts an waded aff to git da batten.*

kin (n) family relationship. Used in phrases: *ta coont kin, ta redd up kin,* to trace lineage.

kind (n) inherited type of character. *I'm no surprised shö's laandit in trouble; shö cam o da kind.*

kinda (adj) rather, sort of. *Dey wir kinda aald-fashioned.*

king-cum-a-lay (n) ancient game.

kirk folk (n) church-goers. *Hit's comin ta da time at da kirk folk'll be gyaan by.*

kirk-mark (n) hare-lip.

kirkin (n) ceremonial church attendance of, for example, newly elected council.

kirknin (n) first attendance at church of couple after their marriage.

kirn (n) a churn; a confused medley of people. *Dey wir a kirn o fock ida but-end.* (v) to churn milk.

kirnin (n) the act of one complete churning. *I hae a kirnin ta dö afore I geng oot da nicht*; the quantity of milk required for one churning. *I'm gadderin milk for a kirnin.*

kirn-korses (n) the plunger of a churn.

kirn-mylk (n) curds.

kirr-mirrin (n) pleasant sensation. *Dey wir a lovely kirr-mirrin at ran trowe him whin dey kissed.*

kirsen (adj) proper, decent; fit to eat or wear. *I wiss du wid wap yon joopie awa: hit's no kirsen ta be seen.*

kishie (n) straw basket or creel.

kishie-baand (n) rope attached to kishie and used for carrying it over shoulders. *Every day brings its ain kishy-baand* (p), every day brings its own particular problems.

kishie-foo (n) quantity sufficient to fill kishie.

kist (n) a chest, a trunk; a coffin; (v) to lay corpse in its coffin.

kistin (n) the laying of a dead body in its coffin.

kist-neuk (n) corner of a chest where money or valuables might be stored.

kit (n) a wooden vessel for holding milk, butter, etc.

kittle (v) to tickle. *Aisy kittled: aisy coorted.* (J. J. Haldane Burgess, *Smaa Murr*); to stir lightly. *Boy, kittle up ida fire an git a coarn o haet ida hoose.*

kittly (adj) susceptible to tickling.

klair (adj) ready, as food.

kleeber (n) soapstone; steatite.

klett (n) a solid lump of stone on the seashore.

klibber (n) wooden pack saddle.

kline (v) to spread, as butter. *Da piece o bread was weel klined wi butter*; by extension, to throw vigorously against. *Man, oot o me rodd or I'll kline dee alang da waa.*

kling (v) to shrink, as in peats drying. *Dat's a clod at'll no kling* (p).

klonger (n) dog rose, the wild brier (*Rosa canina*).

klurmose (n) clamour; noisy disturbance.

knap (v) to speak with affectation, especially Shetlander trying to speak 'proper' English. *Hear's du him knappin awa laek a föl.*

knock-soe (n) mashed limpets made by pounding the limpets in a hole in a rock. There are many cup-shaped holes at **craigsaets** around our shores, worn smooth by countless generations of hungry humanity.

knoilt (n) a sharp blow, usually with knuckles.

knowe (n) a hillock.

44

knuckle (n) a measure, the length of the second finger from tip to knuckle. *Da line is jöst short an nae mair. Anidder twa knuckle an he wid a rekkit.*

koillet (adj) polled, as a cow; having no horns.

kokkaloorie (n) common daisy (*Bellis perennis*).

krampis (n) oatmeal kneaded into a dough with melted fat or raw fish livers, and boiled.

kranset (adj) having the head, or face, a different colour from the body, especially in a sheep.

krappen (n) fish livers and oatmeal mixed together and seasoned, then stuffed into a fish-head and boiled.

kring (n) two lambs tied together on tether.

kröl (n) small oatmeal scone.

kron (v) to complain, to whimper while ailing. *I canna bide dis endless kronnin o hers.*

krummick (n) a small measure, as much as can be held between tips of four fingers and thumb.

kurry-raag (n) rapport, dealings, friendly relations. *Dey dunna hae muckle kurry-raag wi der neebors.*

kwarkabus (n) a disease of sheep involving a dropsical swelling in the throat.

kwilk (v) to swallow with a gulp. *He took da dram an I can tell dee he wisna lang kwilkin him doon.*

kyaandit (v) counted. *Da pör man's sheep is shön kyaandit* (p).

kye (n) pl cows.

kyemp (v) to compete. *Dey wir aye kyempin fornenst een anidder to see what could dö hit da fastest.*

kyittims, playin da (v) gambolling and frolicking.

kyoab (n) a gift, usually given with a view to personal recompense. *Whin I first opened wir shop, Aald Willa cam owre wi a reestit mutton tee — nae doot as a kyoab.*

kyoder (v) to caress or show fondness, sometimes indicating insincerity. *He was for ever kyoderin aboot her, but shö never took him on.*

kyucker (v) to revive. *He wis braaly ill bit kyuckered up anyoch to win ta da weddin.*

kyufset (adj) untidy. *Shö's aafil kyufset laek wi yon graet gravit wippit aroond her trot.*

kyunnen (n) a rabbit.

L

laaber (v) 1) to thrash. *His faider laabered da boy for what he was fit.* 2) to cultivate ground; to work a Voar. *Robbie is still no himsel eftir yon turn he hed. I doot he'll laaber nane dis year.*

laaberin (n) a thrashing. *He gae him a göd laaberin.*

laach (n) to laugh; (n) a laugh.

laachter (n) a litter; a brood of pups, pigs or other small animals.

laad (n) a young woman's boyfriend.

laag (n) a pull, as in drawing a boat.

laalie (n) a toy or plaything; by extension, a young child who has been so pampered and petted by parents as to be almost a plaything. *Dey wir braaly aald whin shö hed da bairn an der jöst made a laalie o it.*

laamer (n) amber, as in laamerbeads; (adj) of an amber colour. *You dönna see da Simmer pass, Rosered wi laamer een* (Vagaland, Hjalta).

laar (n) a light breeze of wind. *Dey wir jöst a laar o wind fae da wastird.*

laav (v). to hover, as a bird. *A graet lipper o a corbie was laavin abön da lambin yowe.*

lackie (n) the third stomach of a ruminant.

laebrack (n) the surf. *We bedd dat closs ta da banks at we jöst lived wi da soond o da sea an da swittel o da laebrack aroond da craigs.*

laekin (v) to be likely to. *He was laekin ta rive da place sindry aroond him in his rage.*

laekly (n) exact resemblance. *He was da very laekly o his faider;* appearance. *He's no a very göd laekly ida sky.*

laem (n) a half-loft made by planks laid over crossbeams of house or barn.

laeve (v) leave. *Laeve du him alane.*

laft (n) upper storey, usually unplenished, of a two-storey house.

laich (adj) in a low situation; *da Laich Ness*, the low, flat part of Dunrossness.

laith (adj) loath, unwilling.

lammas (n) the 1st of August.

lammas-speet (n) heavy fall of rain in autumn.

lane (adj) alone. *I was sittin hame me lane.*

lanerly (adj) lonesome. *Shö was a pör lanerly body at hed bidden hersel for mony a year.*

lang (adj) long. Also used in the following phrases: *ta mak a lang airm*, invitation to a guest to help him/herself at the table. *So bairns, jöst you mak a lang airm an aet up; at da lang an da lent*, eventually. *Weel, hit cam aboot, at da lang an da lent, he made up his*

46

his mind ta bide hame; to tink lang, to long for. *Der no a day at gengs by at I dunna tink lang for hame.*

langband (n) a roof purlin or crossbeam.

langbed (n) an improvised bed made up on the floor, originally of straw, to accommodate several people staying overnight. See **flatchie.**

langer (n) boredom. *Yon book 'll hadd me oot o langer aboot da nicht.*

lang-lippened (adj) long awaited.

lang-nebbit (adj) of words, polysyllabic. *He was aye shaain aff wi yun lang-nebbit wirds he cam wi.*

lang sin syne (adv) long ago. *Hit's no very lang sin syne at dey mairried.*

langsome (adj) lazy, dilitory. *Tak dee langsome legs oot o here an awa an gie dee faider a haand.*

lap-a-midder (n) a wet nurse.

lapper (v) to congeal or curdle, used especially of blood. *His face was reebit wi lapperin blöd;* to lap gently, as water. *We'll sit ida boat, da heildin boat, wi da water lapperin under da stammerin.* (John Stewart, *The New Shetlander*, No. 20).

lapstane (n) a flattish, sea-worn boulder held in the lap as an anvil for beating out **bain** for half-soles. It was believed the leather lasted longer if well hammered after soaking.

lass (n) applied very widely to any female from infancy to old age.

last (n) an old measurement of land, 18 marks.

lat (v) allow pr t **lat**, pt **löt**, pp **latten.**

lat on (v) to reveal. *Never du lat on at du saa wis.*

lavilugget (adj) having drooping ears, as sheep.

lay (n) mood. *Hit's no aft you see him in siccan a göd lay.* Phrases: **ta lay aboot**, to turn a boat around at sea. *Whin da jib-sheets kerried awa we jöst laid her aboot an made for hame;* **ta lay aff**, to talk volubly. *Shö laid aff for a göd ten meenits ithoot draain braeth;* to remove clothes. *Boy, I wiss du wid lay aff yun weet claes;* to cull, as hens or sheep. *Noo at shö's whet layin I'll hae ta lay aff yon aald hen;* **ta lay afore**, to come to mind. *Hit lies afore me at du's bön i wiroos afore;* **ta lay at**, to work energetically. *He wis fairly layin at da casteen wi da swaet hailin aff o'm;* to come down heavily, as rain. *Da rain's bön layin at aa nicht;* **ta lay awa**, of a hen, to lay eggs in bushes, gardens, etc., rather than in proper nest. *Fae some o wir hens started layin awa wir no hed anyoch eggs even for wir ain ös;* **ta lay by**, to make unfit. *Wi yon quantity o drink, nae winder he was laid by;* **ta lay doon**, to convert arable into grass-land. *Hit's a braa start noo fae he laid aa his laand doon ta sheep;* to fall, as snow or rain. *He's laid doon a lok o snaa fae last nicht;* to stop speaking about. *Shö never laid it doon till him — du kens, yun nicht he got da waar o twartree drams;* **ta lay fae**, to hit out all round. *So boy, lay fae dee, an micht da best man win;* **ta lay in**, to stock up. *We wir blyde we'd laid in a lok o mell afore da snaa laid on;* **ta lay in your oars**, to stop, to give up. *Na, bairns, I'll hae ta lay in me oars — I canna aet anidder bite;* **ta lay athin,**

to eat up. *Hurry up, boy, an lay yun maet ithin dee;* **ta lay on**, to fall heavily, as snow. *Whin I cam in eenoo, da snaa was fairly layin on;* **ta lay oot for**, to abuse. *What dat wife lays oot for da ting o boy;* **ta lay tö**, to close. *I wiss du wid lay tö da door wi da cowld nicht;* **ta lay warnins on**, to warn. *I'm laid warnins on him at he's ta tie up yun wirryin dog;* **ta lay up**, to put the first stitches on a knitting-wire. *I'm seen her layin up twa pairs o glivs in ee day;* to ask a series of **guddicks** or riddles. *I'm seen wis spendin da maist o a winter's nicht layin up guddicks;* **ta be laid up**, to be incapacitated. *I'm bön laid up wi da 'flu for tree days.*

lear (n) learning. *You'd hae a göd gaet ta traivel afore you fan some-ean wi his lear.*

ledder (v) to thrash.

ledderin (n) a thrashing.

lee (v) to lie; (n) a lie. *I'm no tellin you a lee.*

leeir (n) a lier.

leek-strae (n) the straw from a dead person's bed, traditionally burned during the funeral.

lee-lang (adj) livelong.

leep (v) to parboil. *We wir wint ta leep lempits for bait for da piltocks;* to become excessively hot. *Da but-end wis dat haet I was laek ta leep.* (n) a state of extreme warmth. *He's bön him a leep o haet da day.*

leepit (adj) parboiled.

leerie (n) manx shearwater. (*Puffinus puffinus*).

leesh (v) to work energetically. *Shö wis fairly leeshin at da mackin machine.*

leet (v) to heed. *Never leet at du hears him;* to reveal. *Never leet a wird o dis tae anidder sowl.*

leggin (n) usually in plural form. The angle formed by sides and bottom of a hooped vessel, as a bucket or tub. *Da water ida dafflick was doon ta da leggins.*

leid (n) diligence, perseverance. *So boys, lay you on leid an you'll no be lang feenishin da rig.*

lem (n) earthenware, crockery. *Du'll wysh da lem an I'll rub.*

lempit (n) the limpet.

lempit-cuddy (n) a small basket in which limpets are collected.

lemsket (adj) having feeble movements. *Less an döl, for sic a pör lemsket craeter shö's come.*

len (v) to loan; (n) a loan. *A len sood come laachin back* (p).

lent (n) length, way. *If du's ever wir lent be shör an come alang;* full length. *He trippet owre a sten an göd his lent ida gutter.* Phrase: *at da lang an da lent*, at last. *We stöd for oors scrimin oot da voe an dan, at da lang an da lent, we saa a sail.*

lep (v) to lap up liquid food. *Da whalp wis fairly leppin up da buttermilk.*

less (interj) equivalent to English alas. Used in a number of forms; *Less, pör ting*, Alas, poor thing; *O less a less! What a dooncome*, Alas, alas, what a disappointment!; *O less an döl at we sood come ta dis*, Alas, what sorrow it is that we should find ourselves in this situation.

lest (v) to last, to hold out; (n) ability to last. *Der no muckle lest i dis paets.*

lett (n) a small amount of liquid. *Lass, höv oot yun lett o tae i dee cup an hae a coarn o fresh gear.*

leuch (v) pt of **laach**, pp **laached**.

ley (n) fallow ground covered with grass. *Wir tinkin ta ploo up wir ley ida Voar.* (adj) fallow. *Yun croft is lyin ley for mony a year.* Combinations: **ley-croft; ley-rig.**

lib (v) to castrate.

libbet (adj) castrated.

licht (v) in phrase *licht til*, it means to attack physically or verbally. *He wis hardly wun ithin da door afore shö lichtit til him.*

lichtenin-tree (n) the beam in a water-mill which raises or lowers the upper mill-stone in order to control the fineness of the ground meal.

lichtsome (adj) cheerful, of people or places. *Shö was datn a lichtsome sowl we aa laekit her.*

lick (n) a wallop. *Mony a göd lick I got fae da teacher*; pace. *He was gyaan at a braa lick alang da rodd da last I saa o him.*

lickin (n) hiding. *Mony a göd lickin I got fae him.*

lie (v) to stop. *Dat tongue o hers never lies.*

ta lie on (v) to be exposed to, as weather. *Da hoose never waarms up wi da wind lyin on da front door.*

liefalane (adv) all alone. *I'm bön bidin me liefalane da last twa year.*

life-tinkin (adj) showing promise of recovery from illness; reasonably fit. *I'm no sae ill: jöst livin an life-tinkin.*

lift (n) the sky, the heavens. *What's du staandin glowerin ida lift for?*; swell in the sea. *Der's still a braa lift ida sea eftir da gale.*

liftit (adj) excessively high-spirited. *Yon lass is a föl liftit craetir.*

lifteen (verbal noun) a cow was said to be *in lifteen* when she was so weak after a winter in the byre with little food that she had to be lifted to her feet in the spring to take her out to grass.

limmer (n) a brazen female, a hussy. *If yon limmer o a lass doöna settle doon shö'll mak a black end, see hit wha laeks.*

lin (v) to cease, pt **lint**, pp **lint**. *He never lint till da job was feenished*; to rest. *Lass, lin dee a meenit ida shair afore du sets oot for hame.*

ling (n) nickname given to native of Skerries.

link (n) the chain from which the pot-hook or **crook** was suspended over the open fire. Used in pl, *da links*; rope used to hold down thatch on roof or on haystack, and weighted by **link-stanes**. (v) to apply a link; to move in a sprightly manner; to dance. *Aald Lowrie was comin linkin up da gaet laek a young een.*

links (n) joints of the body. Used in colloquial phrase, *apo da links o his neck*, as in hanging, by a threat. *I telt him, apo da links o his neck, at he hed ta pay me for da lamb at his dog hed wirried.*

linn (n) a piece of wood laid on beach to facilitate the drawing up or down of a boat. *Da fower o wis shön ran her doon ower da linns ita da watter.*

lintie (n) twite (*Acanthis flavirostris*).

lip (v) to merely taste. *I was hardly lippet me tae afore da knock cam ta da door.*

lippen (v) to expect, to look forward to. *I'm lippened him aa nicht but he's shörly no comin noo.*

lipper (n) a derogatory term for a person. *I wiss I could git my haands on da lipper at spread yon tale.* (v) to be full to overflowing. *Da cup was lipperin owre.*

lirk (n) a crease. *Jöst look at da lirks i dee jacket wi him lyin in a bing;* wrinkle. *Der wisna a lirk in her face for aa da age shö wis.* (v) to crease or become wrinkled.

lisk (n) a small quantity of hay or wool; a wisp. *Wid du gie da coo a lisk o hay while I'm milkin her.*

lispund (n) a measure once used in weighing grain and butter, approx. 12lb Scots (16.3lb avoirdupois) but gradually increased by extortionate lairds and merchants until it was over 30lb Scots in the 18th century.

lith (n) joint or segment of bone structure. *I ken every lith o his rigg,* I know him through and through. Also **tivlig.**

litt (n) indigo dye.

little wirt (adj) feeble, worthless.

liver-drink (n) a mortal blow. *He's gotten his liver-drink dis time.*

liver-head (n) the head, usually of a cod or ling, stuffed with fish-livers and boiled.

liver-muggie (n) nickname given to native of Burra.

lock (n) a good quantity; an abundance. *We wir only aff for a oor but we got a lock o fish.*

lodberrie (n) a type of 18th-century house in Lerwick built with its foundations in the sea, and combining pier, courtyard, store and dwelling-house.

lodge (n) fisherman's bothy at haaf-fishing station.

longie (n) common guillemot (*Uria aalge*). Also **loom.**

loo (adj) tepid. *If du beeks dee haand in a basin o loo water da pain'll aise a coarn.*

loobit (adj) as above, but generally used in a derogatory sense, *aa we got was a cup o loobit tae.*

looderhorn (n) a bullock's horn used as a trumpet to warn other boats in foggy weather. Used figuratively to describe a very loud voice. *He hed a voice laek a looderhorn.*

loom (n) see **longie.**

loren (n) the great cormorant (*Phalacrocorax carbo*).

loren shön (n) name given at one time to shoes as opposed to boots.

loup (v) to jump or spring. *He loupit til his feet and yockit me bi da gansey.*

lowe (n) flame; blaze; (v) to burn brightly.

lowrie-towe (n) a line or rope, with a hook at the end, used for hauling heavy objects, usually in a nautical context.

lowse (v) to loosen. *Dis knot is dranged dat ticht I canna lowse him;* to unfasten a cow from stall or horse from cart or plough; to begin to pour, as rain. *We'd better mak for da hoose: he's jöst aboot ta lowse;* to break out, as in anger. *We wir hardly wun in da door afore me midder lowsed apo wis;* to break out, as in perspiration. *Boy, da swaet fairly lowsed apo me comin up*

50

yun steep nip fae da banks. (adj) loose. *Watch whin du's climmin yon daek — der locks o lowse stanes.*

lö (v) to listen intently. *Sees du, da dog is löin: some-een man be comin.*

lö-cup (n) a between-meals snack, usually taken surreptitiously.

löd (n) 1) mood. *He seemed ta be in a braa göd löd.* 2) song.

lödi-pipe (n) a crude musical toy made from an oat-straw.

löf (n) the palm of the hand. *I'll no be settled i me mind till I git da money i me löf.*

löm (n) a dish. *Du can gie da dog a drink oot o yon aald enamelled löm*; shiny appearance on surface of water caused by oil or other greasy subtance. *Eftir da oil spill we could see a oily löm aa aroond Gluss Isle.*

lönabrack (n) the swell and surge of sea breaking on the shore. *We fann him face-doon ida gyo, Whaar da lönabrak was faerce.* (John J. Graham, *Unidentified*).

loor (n) a very brief and deceptively fine spell of weather. *Hit's jöst a loor, I faer. He'll be a day o distress da moarn, mark my wird.*

löragub (n) sea-foam, especially thick foam driven into a narrow gyo by a heavy sea.

lubba (n) rough vegetation, usually on mossy ground.

luck (n) to entreat or entice. *I luckit an tized her but hit was nae ös.*

lucky-lines (n) long, stringy seaweed. Also **droo, drooie-lines.**

lucky minnie's oo (n) bog cotton (*Eriophorum*).

lug (n) human ear.

lum (n) chimney or flue.

lunder (v) to beat severely.

lunderin (n) a severe beating. *Pör sowl, he taks mony a lunderin but never says a wird.*

lungie (n) the long gut of a sheep's intestines, used for making puddings.

lunk (v) to walk with a bobbing action. *I kent him bi da wye he cam lunkin alang da rodd.*

lurgit (n) a large quantity of something, especially food. *Shö was bön kirnin an hed a graet lurgit o fresh butter apo da table.*

luss (n) scurf, dandruff.

lyoag (n) a small hollow in the hills, usually slightly wet and boggy.

M

maa (n) general term for the sea-gull; (v) to reap. *I saa dee maain mödoo-girse dastreen.*

maal (n) a mallet.

machtless (adj) powerless; without strength. *Dey wir taen on an strivven till dey wir machtless.*

mad (adj) very angry. *I doot faider 'll be mad apo me whin I win hame for being sae late.*

maddrim (adj) fun; hilarity. *I weel mind foo full o filska an maddrim shö was.*

maed (n) maggot.

maedit (adj) injected with maggots. *Du can wap yon fish ida midden whin du laeks — der aa maedit.*

maegerdom (n) state of weakness, combined with depression. *Der a aafil maegerdom come owre me da day.*

maegins (n) the heart or depth of, say, the night. *Hit's hard ta say what gengs trowe his mind ida silent maegins o da nicht.*

maen (n) in phrase *ta mak maen*, to lament, to moan. *Her at was lost her twa boys was sittin at da but fire makkin maen an no in a fit state ta speak ta ony-een.*

maeshie (n) a net constructed for carrying hay or corn on the back or for attaching to a pony's pack-harness.

maet (n) food. *Aet up dee maet, boy.*

(v) to feed. *I'm gyaan ta maet da baess.*

maet-hale (adj) having a good appetite; in other words, healthy.

maik (n) match; equal. *Der wisna his maik ida hale neebrid.*

mairch (n) boundary-line between different properties.

mairch-stane (n) stone marking above boundary.

maistlins (adv) almost, nearly. *Da barrel was maistlins empty aless for a coarn o mell ida boddom.*

mak (n) match. *Dey wirna da mak o'm ida perish* (see maik). (v) to produce, in weather. *He's makkin a göd sook da day.*

mak (v) to make, pt made; to estimate. *I mak him ta be twa year aalder as dee;* of a wave, to build up. *Dan a muckle sea made astern, but as Robbie gae her da sheet shö took her aff laek a white maa.* Phrases: ta mak a better o, to improve a situation. *I doot we'll hae ta cerry on: we canna mak a better o it;* ta mak o, to make much of. *Da peerie boy was fairly made o doon yunder wi da graand-midder and aunts;* ta mak on, to pretend. *Jöst du never leet but mak on at du laeks him;* ta mak owre, to go towards. *I tink I'll jöst mak awa owre for hame afore he darkens;* ta mak til, to go forwards. *Whaar tinks du is du makkin til?;* ta mak

52

up, to arrange. *Da pair o dem was makkin up ta geng to Lerook ta git der weddin gear;* **ta mak wye**, to break, to come apart. *Yon lodd'll mak wye wi dee if du dösna look oot.*

makkin (n) knitting. *Shö was taen oot her makkin an settled doon afore da fire;* a brew of tea. *Haddee on a meenit: I'm jöst pitten on a makkin o tae.*

makadö (n) pretence. *Shö made a graet cerry-on fyaarmin owre me but I weel kent hit was jöst makadö.*

mallie (n) fulmar petrel (*Fulmaris glacialis*).

mam (n) mother. Also **mammie.**

man (v) must. *Du man try and dö yön as shön as du can. What man be man be* (p), it is inevitable.

man-body (n) adult male. *For sic a nicht for da taek ta lift an no a man-body ida hoose.* Pl **men-fock.**

manna (v) must not.

mant (v) to stammer. *Whin he got kinda wrocht up he wid mant a grain.* (n) a stammer.

manyugilti (n) underhand activities, deceit, trickery. *He wrocht a lot o manyugilti among fock.*

mar (v) to confuse. *I wiss du widna spaek whin I'm coontin: du jöst mars me.*

mara (n) nightmare.

mareel (n) phospherescence seen on the sea, especially during autumn nights.

marlet (adj) mottled. *Sees du da legs o 'er — fair marlet wi sittin beekin hersel afore da fire.*

martabolimas day (n) the day of the feast of the translation of St Martin, 15th July.

martinmas (n) 11th November.

masgoom (n) angler fish (*Lophius piscatorius*).

maschiev (v) to injure. *I mashieved mesel apon yun graet stane lyin ahint da barn.*

mask (v) to infuse tea. *I'm jöst maskit da tae so we'll hae a cup in a meenit.*

matchie (n) immature female herring.

mayflooer (n) primrose (*Primula vulgaris*).

meesery (n) used in phrase: *at da bonns o meesery*, extremely emaciated. *Eftir da hard winter da twartree toon yowes wis at da bonns o meesery.*

meid (n) a prominent feature on the land which, when lined up with another landmark, enables fishermen to establish and maintain their position at sea.

meldie (n) corn spurrey (*Spergula arvensis*).

mellishon (n) a curse, an impre-cation, the devil. *He could run laek da very mellishon.*

mell-moorie (n) a snowstorm with violent flurries of fine, powdery snow.

mention (n) a modicum, a shade. *If du's poorin me a dram jöst gie me a mention o rum i dis gless.*

mercy (n) used as an exclamation. *Faader o mercy! What's dis I see?*

merk (n) unit of land initially having the annual value of one mark, 13s 4d sterling. The area depended on quality of land and could vary from less than an acre to several acres.

merky-bane (n) marrow-bone.

mert (n) animal fattened for market.

mett (n) mark. *Dey wir a clear mett ida snaa whaar da dog hed bön.*

micht (n) might. *Du micht jöst manage yun.*

michty (interj) exclamation of surprise equivalent to 'God Almighty'. *Michty me! What's brocht dee here?*

midden sloo (n) nickname given to native of Unst.

midder (n) mother.

midder's blissins (n) white spots on finger nails.

midder-nakit (adj) stark naked.

midder-wirsom (n) the core of matter in an abscess.

middlin (adj) reasonably well. *I'm feelin jöst fair ta middlin efter yun dose o da 'flu.*

mind (v) to remember. *I canna mind wadder laek dis afore*; to remind. *Du minds me aafil o dee graand-faider.*

mindin (n) used in phrase: *aa my mindin,* as far back as I can remember. *He's bön a crabbit craeter aa my mindin.*

minkie (adj) small. *I never tocht yun peerie minkie ting o a whalp wid ever a lived.*

minnie (n) grandmother. *Mony's da tale I heard fae minnie.*

mirackle (v) to injure severely. *Aaricht, cerry du on tearin aroond on yun bike an end up miracklin desel.*

mird (n) a swarm, a throng. *I'm never seen siccan a mird o fock afore as was on da pier whin da whalers göd.*

mire-laid (adj) bogged down, particularly of an animal. *Da aald horse is never bön da sam fae he was mire-laid ida Setter dubs.*

mirk (adj) dark. *Da nicht was mirk and mönless.*

mirken (v) to grow dark. *We'll hae ta try an feenish dis job afore da nichts begin ta mirken.*

mirknen (n) the evening twilight. *I took a turn aroond da sheep ida mirknen.*

mirl (v) to quiver, to shimmer, to tremble. *Da peerie lass was mirlin wi excitement as shö opened da parcel.*

mirry-begyit (n) an illegitimate child.

mirry-dancers (n) the Aurora Borealis.

misanter (n) a mishap; an accident. *I'm hed mony a misanter bit nane laek dis.*

miscaa (v) to speak ill of. *I hoop I'm no miscaain ony o you.*

misfare (v) pt **misför**, pp **misforne**; to come to grief; to be overwhelmed, as a boat at sea. *Bairns, I hae ill news fir you: your men's boat is misforne wi da gell.*

mitten (v) to lay hold of; to grasp. *I kent hit was my lamb, so I mittened a hadd o 'im.*

moarn (n) used with def art, tomorrow. *I'll be alang da moarn.*

moch (n) moth.

moch-aeten (adj) infected with moths.

moder dy (n) an underlying swell of the sea which experienced **haaf-men** could detect and use as a guide.

mogie (n) stomach of an animal or fish; also applied jocularly to humans. *He spewed his mogie.*

moniment (n) a foolish person. *Dere he wis, waanderin aroond laek a moniment.*

mooed (adj) having a mineral deficiency, as in sheep.

mool (n) a headland. *Da Mool o Eswick.*

mool-baand (v) lit. to muzzle, but used in sense of restraining someone. *Du'll no mool-baand yon lad.*

moor (v) to snow heavily with drifting. *Hit was startin ta moor whin I cam in eenoo.*

moorie (n) a blizzard.

moorie-caavie (n) a violent blizzard. See **mell-moorie.**

mooratoog (n) an ant.

moorit (adj) brown, especially applied to Shetland sheep or its wool.

moose-wub (n) a spider's web; a cobweb.

mooskit (adj) grey, the colour of a mouse. *Yae, yun's her — da een wi da mooskit hair.*

moot (n) a mite; a very small creature. *Hit was a peerie moot o a lamb — hardly wirt keepin.*

mootie (adj) very small; often used for a child as a term of affection, *peerie mootie ting.*

mooth (n) a morsel. *I'm no preeved a mooth o maet da day.*

mooth-liftin (n) a morsel. *I was blyde o da cup o tae an da bannock: hit wisna muckle but it was aye a mooth-liftin.*

morro (n) a match; an equal. Used generally in negative context. *For handlin a boat der wisna his morro ida hale neebrid.*

morroless (adj) not matching, as of a pair. *Did du noteece at he was wearin morroless socks?*

mortal (n) extremely intoxicated. *Gibbie cam alang wis dastreen — jöst mortal.*

mott (n) a mote; a particle. *Da mylk was dat foo o mots at I windered if shöd ever ösed a syer-cloot.*

motty (adj) full of small particles, as milk.

moy-foy (n) mischief, pranks.

moyenless (adj) lacking energy.

möld (n) earth; mould. *Hit's time du was haepin da möld aroond yun taaties.*

möld-drocht (n) a condition whereby a sick person drank copiously — usually a sign of impending death. Lit. a drought prior to the grave. *Pör sowl, I doot he's gotten da möld-drocht.*

möld-rich (adj) extremely rich.

möldie-blett (n) bare patch of hill pasture from which peat-mould has been gathered for möldie-cooses.

möldie-coose (n) a heap of peat-mould used as bedding for cattle in byre.

mön (n) the moon.

mön-broch (n) a circle of light round the moon, supposed to foretell windy weather.

möni (n) the spinal cord.

mös (v) to be bewitched, rendered ineffectual. *Pör sowl, I doot he's fairly mösed fae he fell in wi yon trooker o a lass.*

muck (n) cows' manure; dung; (v) to remove dung from byre. *I was muckin oot da byre whin Erty cam alang.*

mud (v) to delve superficially; to loosen up soil before planting seeds or potatoes. *Tattie möld was*

55

mudded — rarely dug. The cultivator worked singly — not in gangs — and the heel of the spade was not used.

mudjick (n) a midge. *For sic a day we hed ida paet-hill wi dis mudjicks.*

muckify (v) to make dirty. *He fell ida greff o da bank an was muckified fae head ta fit.*

muckle (adj) large.

muggie (n) the stomach of a fish.

mulder (v) to crumble to dust. *Da waas o da aald hoose was mulderin awa.*

mummie (n) small fragments. *Du'll no hinder yun vyld haethin o a cat ta caa da oarnament aff o da brace an lay hit in mummy.*

munt (n) a month.

murg (n) a mess. *I fann yun photo lyin among a murg o dirt an aald claes ida coarner.*

murken (v) to become mouldy or musty (applied generally to hay).

murn (v) to weep.

murnin (adj) weeping. *Pör sowl, shö was at her murnin een.*

murr (n) things very small of their kind. *Der naethin left ida tattie cro aless smaa murr.*

mutch (n) a woman's cap, commonly with a frilled border.

mutchkin (n) a liquid measure, approximately 1 pint.

myl-gruel (n) porridge made with milk instead of water.

mylk (n) milk.

mylk-an-mell (n) a drink consisting of oatmeal mixed with hot milk.

N

naaber (adj) mean, miserly.

nackers (n) the testicles.

nae (adj) no. *Wir heard nae wird fae him.* (adv) no. *He's nae göd, I can tell dee.*

name-faider (n) the man after whom one has been named.

nane (pron) none. *Dey wir nane o da Setter fock dere.*

neap (n) turnip.

nearbegyaan (adj) mean; miserly. *Du'll no git muckle fae yun nearbegyaan baand.*

near-haand (adv) close by. *I truly got a aafil gluff for nane o wir fock was near-haand.*

neb (n) the beak of a bird.

nedder (conj) neither. *I saa nedder hide nor hair o 'im.*

neeb (v) to nod with sleep. *Afore da minister feenished his sermon I was begun ta neeb.*

neebit (adj) sickly. *He was a pör neebit-lookin craeter.*

neebour (n) neighbour; one of a pair. *Du can baal yun gliv awa — I'm lost his neebour.* (adj) neighbouring. *A neebour wife.*

neer (n) a kidney.

neer tallow (n) fat round the kidney.

neesick (n) a porpoise (*Phocaena phocaena*).

neest (n) a spark of fire. *Der wisna a neest ida fire.* (adj) next. *Neest week.* (adv) next. *Neest da waa.*

neester (v) to creak or squeak. *Der's some-ean comin: I hear da grind neesterin.* (n) a creaking noise.

neeve (v) to go under to. Used in expression: *He/she never neeved it,* i.e. he/she didn't go under to an illness, or it had no effect on him/her.

neeze (v) to sneeze; (n) a sneeze.

ness (n) a headland.

nev (n) the fist; the clenched hand. *If du dösna look oot du'll git my nev alang da side o dee head.*

nevfoo (n) handful. *I baaled a nevfoo o coarn afore da clockin hen.*

news (n) gossip; information. *Weel bairns, what news?*; chat. *I tocht I wid drap alang ta hae a news wi dee.* (v) to chat. *Shö was newsin awa wi aald Janny ida shop.*

Newerday (n) New Year's Day.

nibbie (n) a projecting knob. *I caad me head in a nibbie abön da door.*

nicht (n) night.

nicker (n) whinny or neigh of a horse; (v) to whinny or neigh. *We could hear da nickerin o da ponies aroond da aald crub.*

nile (n) the plug in the nile-hol of a boat.

nile-hol (n) a small hole in the bottom of a boat for draining out the bilge water.

nippet (adj) close-fitting, as of clothes. *Du's growein oot o yun jacket, Willie. He's far owre nippet apo dee.*

nipsiccar (adj) caustic in manner; bitter. *Du'll no git very far wi her: shö's braaly nipsiccar whin shö taks hit dat wye.*

nirls (n) chickenpox.

nirt (n) small particle.

no (adv) not. *He'll no ken at du's here.*

nochtify (v) to belittle; to disparage. *I ken her owre weel — nochtifyin aathing wi her skyimp an ill-spaekin.*

nonie (n) a very small person or animal.

noo (adv) now.

noo an sae (adj) middling, so-so. *I'm bön jöst kinda noo an sae fae I hed yun turn.*

noodel (n) to hum or sing low to oneself. *He was jöst sittin himlane noodlin owre a aald tön.*

nooky (n) the nipple.

noost (n) the place, usually a hollow at the edge of a beach, where a boat is drawn up.

nordert (adv) to the north. *Da wind is geen nordert.*

norderly (adj) northerly. *A norderly wind.*

norie (n) the puffin (*Fratercula arctica*). Nickname given to a native of Foula.

norn (n) a variant of the Old Norse language which survived as the native tongue in Orkney and Shetland until the 17th century.

nort by (adv) towards the north. *Da coo was teddered nort by da kale-yard.*

notion (n) a fancy, particularly for someone of the opposite sex. *I'se tell dee, shö's hed a notion i' him for a braa start noo.*

noop (n) a steep headland. *Da Noop o Noss.*

nön (v) to hum a tune. *Nön du him owre an I'se tell dee if I ken him weel anyoch ta play him.*

nug (v) to nudge. *Lass, I wiss du wid gie faider a nug; he's dwaamin owre ida shair;* to rock, as a cradle or pram. *I'm jöst nuggin da pram ta see if shö micht faa aff till we hae wir tae.* (n) a nudge. *First I kent wis a nug i me ribs fae Liza.*

nyaaf (n) an insignificant but pompous person. *What's yon peerie nyaff blaain aboot agen?*

nyaag (n) nagging ache. *I'm hed a nyaag i dis yackle o mine for twartree days noo.* (v) to ache. *Hit's whin I win ta bed at nicht at dis dwined rheumatics starts ta nyaag.*

nyaarm (n) to bleat, as a sheep or lamb. *Hit's da soond da sheep maks nyaarmin whin you caa dem on afore* (Vagaland, *A Skyinbowe a Tammy's*).

nyarg (v) to nag; to complain constantly. *What dat wife is nyargit on fae da day Willie took her.* (n) a complaining, nagging person. *Dat is a proper nyarg, forever tröttlin on aboot something.* Also **nyirg.**

nyep (v) 1) to clasp the hands. *Shö was sitting afore da fire wi her haands nyeppit on her lap;* 2) to tie firmly, as the mouth of a sack.

nyepkin (n) a headsquare; a handkerchief.

nyiff (adj) 1) nimble. *He wis still braaly nyiff ida fit.* 2) (n) smell, usually unpleasant.

nyig (v) to tug. *Der's something nyiggin on me line;* to move jerkily. Used, somewhat sarcastically, to describe an indifferent fiddler. *Robbie is bön nyiggin awa apo da fiddle for da past half oor.*

nyiggle (v) to cut, as with a knife, ineffectually. *He was staandin nyigglin awa, tryin ta flay a sheep's head wi a blunt tully.*

nyim (interj) an expression of pleasure on tasting pleasant food — usually said twice and generally addressed to children. *Nyim, nyim! Isna dat da göd?*

nyirg see **nyarg.**

nyitter (v) to chatter incessantly in a complaining manner. *I canna bide yun wife wi her nyitterin fae moarnin ta nicht.* (n) constant nagging; a crabbit, complaining person.

nyivvel (v) to squeeze, knead with the fingers. *Whin da doctor started nyivvellin aroond da sma o me back I coodna help laachin — hit was dat kittly.*

nyoag (v) to moan, as a cow. *I doot wir Flecky is no richt: I'm heard her nyoagin ida byre aa nicht.* (n) a moan.

nyook (n) a corner, a recess. *The shimley-nyook,* the corner of a living-room by the side of the fireplace; *the paet-nyook,* the recess where peats were stored in the dwelling-house.

nyuggel (n) the legendary water-horse in Shetland folklore.

O

o (prep) of. *Nane o dem cam wir wye; Willie o Setter was dere wi da rest.*

oag (v) to crawl. *Pör sowl, he's little wirt; jöst able ta oag tae da fire.*

object (n) a person in a pitiable condition through age or disease. *Pör object, shö'll no be lang wi wis, I doot.*

obleegement (n) a favour, an act of kindness. *He's dön me mony an obleegement in his time.*

öbdee (adj) out towards. *Dan I draas him wi force öbdee by ta da door* (J. J. Haldane Burgess, *Skranna*).

ocht (n) anything. *Deil ocht haes he but da claes he's staandin up atil.* (v) ought. *Dey ocht ta come whin der telt.*

odds (n) difference. *Hit maks nae odds what you tell him: he aye gengs his ain gaet.*

odious (adv) extremely. *Hit was a most odious fine day.*

oiler (n) the drain running behind cattle in the byre and discharging into the **runnick.**

oily muggie (n) nickname given to native of Northmavine.

okrabung (n) tuberous oatgrass which grows as a weed in cultivated land (*Arrhenatherum tuberosus*).

olick (n) a young ling (*Molva molva*). Used in plural form to indicate the operation of fishing for **olick.** *Robbie an me are tinkin ta geng aff ta da olicks da nicht.*

öliklörum (adj) sickly. *Shö's lookin aafil öliklörum da day.*

onkerry (n) a carry-on; a disturbance. *For sic an onkerry he made whin he heard da news.*

onlay (n) a heavy fall, as of snow. *I doot he'll be a onlay o snaa afore da nicht.*

onlookin (adj) fit to be seen. *My bairn, whaar is du bön wi dee claes i yun state: du's no onlookin.*

onn (n) a piece of field dug by a single spade; and, by extension, a set task, an undertaking. *I took me spade an delled a onn dis moarnin i wir infield rig.*

onstaandin (adj) obstinate; persistent. *He wis dat onstaandin at I hed ta laeve da hoose an geng wi 'im.*

ontack (n) a heavy undertaking. *Hit's a aafil ontack for a young ting o lass — lookin efter twa infant bairns.*

ön (n) sultry heat; stuffy atmosphere. *Der a ön a haet ida gairden here, Whaar da sunflooer proodly staands* (Vagaland, *Haem Tochts*).

oo (n) wool. *Der no muckle sale for Shetland oo eenoo.*

oob (v) to moan, to wail. *I could hear da bairn oobin an takkin on afore I wan tae da hoose.* (n) a plaintive cry. *I wiss du wid gie yun dog somethin ta aet: I canna bide da oobs o'm.*

ooen (adj) woollen

60

ooie (adj) woolly.

ook (n) week.

ool (v) to be depressed through illness. *Shö widna geng tae her bed but sat oolin owre da fire.*

oolet (n) a brat; a troublesome child. *I winder at times hoo I keepit me haands aff o dat oolet.*

oomik (n) a very small quantity.

oonsaired (adj) unserved. *Dem at comes oonbidden sits oonsaired* (p).

oor (n) hour.

oorie (adj) strange; eerie. *Da hoose felt aafil oorie whin I wis in mesel.*

oorick (n) nonsense; rubbish. *He rödit aff a lock o oorick.*

ooster (v) to dominate in speech. *What a oosterit craeter dat is!*

oot aboot da nicht visiting during the evening. *I wis wint ta geng oot aboot da nicht but noo I never seem ta win fae da fire.*

ootadaeks (adv) outside the hill-dykes. Used occasionally in a metaphorical sense to indicate place occupied by a human which was not his normal place of abode. *Du can tell bi da face o'm at he's bön lyin ootadaeks for a start noo.*

ootbaits (n) grazing area outside hill-dyke, pasture outwith enclosed land.

ootburg (n) the outlay of peats on the top of a peat-bank beyond the **daek.**

ootliers (n) creatures without a roofed shelter.

ootmaagit (adj) exhausted with hard work. *I'm seen me comin fae da hill dat ootmaagit at I jöst flang me ida sofa.*

oot owre (adv) on top of. *He hed on a oilsken oot owre da rest o his gear;* a distance away. *Oot owre upon a weel-kent hill.* (Basil R. Anderson, *Auld Maunsie's Crö*); instruction to dog. *Hadd awa oot owre!*

ootrun (n) the part of a croft which contains rough grazing but is enclosed and not part of the common scattald.

ootset (n) a piece of ground in the scattald or common grazing which lairds let to tenants who had to build a house on it and bring the rough pasture into cultivation.

oot-tack (n) lasting quality. *Hit's no wirt wirkin wi yun bog-hay — der nae oot-tack in it ava.*

oot-waelins (n) the leavings; rejects. *Dey wirna a richt lamb left whin I wan tae da roup — jöst da oot-waelins.*

opstropolous (adj) rowdy. Local version of obstreperous.

ormal (n) a particle; a scrap. Usually in plural form, meaning remainder. *Dey wir naethin left ida biscuit tin but da ormals o a Digestive.*

osmil (adj) odd-looking; sinister. *I met a peerie osmil wife, An shö wis gadderin lukkie's oo.* (Vagaland, *Fae Da Grund*).

ös (n) use. *What ös is yun?*

öswal (adj) usual.

öt (v) ate, pt of **aet**; pp **aetin.**

ötna (n) smithereens. *Da gale laid da aald boat i ötna.*

overly (adj) given to extremes; excessive. *I canna pit up wi him whin he haes a dram — he's dat overly.*

owld (adj) old. Also **aald, auld.**

owre (prep) over. *He clamb owre da daek.* (adj) too. *I widna geng owre closs tae da aidge o da banks.*

owre by (adv) across. *I'm gyaan owre by ta Lowrie's.*

owre-end (adj) over-excited; aggressive. *I'm never seen da laek o'm: he wid git owre-end if you but contradicted him;* stiff, as hair. *Da dog yalkit, every hair owre-end.*

owre-geen (adj) overrun, as with weeds. *Da place was owre-geen wi dockins;* beyond control; unruly. *Shö can mak nothin o yun bairns: der fairly owre-geen.*

owre-steer (adj) rumbustious, given to extravagant behaviour. *Naebody's gyaan ta pit up wi da onkerry o yun föl owre-steer craeter.*

owre true (adj) true enough. *Yae, dat's owre true.*

owre weel (adj) reasonably well. *Foo is du, lass? Oh, I'm owre weel.*

owse (v) to bale out water, as in a boat. *Da water keepit fillin in as fast as we could owse it oot;* to pour out. *Jöst tink o aa da lucky turns at Fate's owsed oot ta him;* to pour down, as heavy rain.

owsen (n) oxen.

owse-room (n) the space in a sixern from which the water is baled out.

owskerri (n) the scoop used for baling water out of a boat.

oxter (n) the armpit; (v) to carry under the arm. *He oxtered da lamb an made for da hoose.*

oy (n) nephew.

P

paal (v) to brace, as the feet. *I paaled me feet ahint da door an höld on for what I wis wirt*; to puzzle. *Hit paals me what he could a dön wi aa yun money.*

paand (n) a valance, as for curtained windows.

paap (n) the nipple; the uvula. *Da paap o da craig.*

packie (n) a hawker; a pedlar; a bundle of fishing-lines — sometimes referred to as a *packie o towes.*

paddock-stöl (n) a mushroom.

paek (n) a small quantity of grass; a bite. *A paek o girse; da green paek*, the first shoots of new grass in spring; (v) to work slowly but steadily. *He's no able for muckle but you'll aye fin him paekin awa ida rig.*

paesday (n) the Monday after Easter Day.

paes eggs (n) eggs collected by children going from house to house on Paesday.

paes-wisp (n) a tangled or ravelled mass of lines or threads. *I wiss du wid try an redd oot dis paes-wisp.*

paet (n) peat. Occurs in a number of combinations: **paet-bank, paet-borro, paet-cro, paet-möld, paet-neuk, paet-reek, paet-roog, paet-stack.**

paloovious *(adj) very drunk.*

panfry (n) state of agitation. *For sic a panfry shö wis in owre da weddin.* Also **panshite.**

pantan (n) a wooden-soled slipper.

parteeklar (adj) very fine; excellent. *Boy, isn dis parteeklar wadder wir haein.*

pat (v) put. pt of **pit**, pp **pitten.**

pay (v) to smack. *My lad, if du dös yun agen I'll pay dy tail.*

pech (v) to pant; (n) a wheeze. *I could hear da pechs o 'm comin up da brae.*

Pecht (n) a Pict.

peel (n) a small quantity. *I hunsed everywye for a coarn o tae but soarro peel could I fin.*

peen (n) a pane of glass; (v) to throw at. *Dat ill-vicket bairns wis peened da peerie boy wi stens.*

peenie (n) pinafore.

peerie (adj) small.

peerie wyes (adv) cautiously. *Come du peerie wyes doon aff o da waa an du'll no hurt desel.*

peester (v) to squeak or squeal. *Dey wir a lock o young eens sittin peesterin an gaffin.*

peety about dee expression used ironically to suggest 'serve you right!' *I waarned dee weel anyoch so peety aboot dee.*

pell (n) a pail or bucket; a disreputable person. *What's come owre dee, lass? Takkin up wi yun drucken pell.*

pellet (adj) patchy and ragged, as an animal's coat, a *pellet röl*, a pony whose coat is patchy during process of growing new hair.

pells (n) ragged clothes. *He wisna kirsen ta be seen, what wi his uggled face an dirty pells.*

pen (n) feather. *We wir wint ta mak taatie-craas wi maa's pens.*

penga (n) money. *Du widna tink it, but he has plenty o penga stowed awa.*

penk (v) to dress up; to titivate oneself. *Boy, what's shö aa penkit up for da nicht, I winder?*

penshins (n) part of cow's stomach from which tripe is made.

pernickety (adj) cantankerous; hard to please.

pernyim (adj) prim and priggish. *Shö's datn a pernyim body you wid tink her face wid spret if shö laached.*

perskeet (adj) a variant of **pernyim.**

pex (v) to move with effort. *He wis comin pexin alang da rodd apon his aald bike.*

pexins (n) punishment. *Du'll git dy pexins whin du wins hame, my lad.*

pheesic (n) medicine, usually a purgative.

pick (v) to tap. *I picket twartree times apo da door but naebody cam.* (n) a tap.

pickit (adj) very dirty. *His face wis dat pickit wi dirt I hardly kent him.*

picky (n) a children's game similar to tag.

pie-holl (n) eye in lacing-shoe or boot.

piece (n) a sheep-mark involving part of ear cut off. *A piece aff o da tap an a rit*; distance. *I followed him alang da rodd a braa piece.*

pig (n) an earthenware bottle, usually applied to a hot-water bottle. *I pat a pig ida bairn's bed wi da cowld nicht.*

pillie (n) the penis.

piltock (n) a coal-fish two to four years old. Nickname given to native of Whalsay.

pin (v) 1) to move swiftly. *He göd pinnin alang da rodd as fast as his legs could cerry him.* 2) to pack. *Da room was pinned ta da door.*

pinch (n) a crowbar for prising up heavy stones.

pinger (n) a small haddock.

pinnish (v) to suffer from extreme cold. *Dunna staand furt yunder pinnishin ida cowld: come awa in an waarm dee.*

pinnishin (n) an extremely cold bout of weather. *Hit wis a proper pinnishin fae da Nor-aest.*

pintle (n) the penis.

pipper (v) to tremble, shake, as with cold, fear or excitement. *Der nae ös staandin yunder pipperin an sochin. For Göd's sake dö somethin!* (n) state of nervous excitement. *He wis aa in a pipper.*

pirg (v) to nag. *Shö wis for ever pirgin at me ta pent da ben-end.*

pirl (n) a particle of sheep's dung.

pirm (n) a bobbin; a reel of cotton thread.

pirm treed (n) cotton thread as opposed to woollen.

pirr (n) a very light breeze. *Dey wir hardly a pirr o wind ta fill da sail.*

pish (n) urine; (v) to urinate.

pit (v) to put; pt **pat,** pp **pitten.**

pit apun (v) to dress. *Shö dichtit up her face an started ta pit apun her.*

pit-on (n) a pretence. *Never leet aa his monnin an gronnin: hit's jöst a pit-on.*

pitten aboot (adj) distressed. *I could see shö wis pitten aboot wi da onkerry da bairn wis makkin.*

plag (n) a garment, usually applied to something ragged or well-worn. *Shö wis a peetiful sicht staandin dere riggit up in her midder's aald plags.*

planticrub (n) a small circular dry-stone enclosure for growing cabbage plants. Also **crub** or, in Unst, **crö** or **plantiecrö**.

platsh (v) to walk in a heavy, flat-footed way, often through wet ground. *He wis comin platshin up trowe da guttery gaet.*

pleep (n) a cry of a bird. *Dey wirna a soond bit da pleep o da shalder.* (v) to cry, as a bird; by extension to humans, to whine. *Shö wis aye pleepin aboot something.* Also **pleepsin.**

pleepsit (adj) always complaining. *He mann hae a lok ta pit up wi, lyin ida face o yun pleepsit craeter.*

plenish (v) to fit all the internal parts of a house.

plenishin (n) the internal parts of a house. *He biggit da ootside o da hoose hissel but he got Robbie o Gord ta gie him a haand wi da plenishin.*

plink (v) to strike a note in playing a stringed instrument or piano. *He wis plinkin awa apo da fiddle gittin her inta tön;* to twinkle, as a star. (n) the sound of a note on a stringed instrument. *Man, Willie, gie wis a plink apo da fiddle.*

plinkie (n) electric torch.

plivver (n) the plover.

ploo (n) the plough.

plook (n) a pimple.

plooky (adj) pimply.

plootsh (v) to walk through water; to paddle. *Da bairns wis never happier as whin plootshin ida burn.*

plot (v) to put the carcase of a pig in boiling water to enable the hair to be removed more easily.

plöt (v) to whine or moan. *He wis for ever plötin aboot da wadder.* (n) a whining complaint. *Here's du da plöts o 'm.*

plucker (n) sea scorpion (*Cottus bubalis*).

plump (n) heavy shower. *Dey wir a heavy plump o rain at da back o tae-time.* (v) to fall into. *Watch du dösna plump i yun hol.*

plunky (n) a prank, a trick. *Mony's da plunky we played apo pör aald Tammas but he never fell oot wi wis.*

poan (n) a thin flake of turf used as initial covering of roof before thatch was placed on; (v) to crop close. *Whin we got wir hair clippit ida aald days hit wis poaned ta da bonn.*

poase (n) a hoard. *Da Gricigert fock is bön snuffin aroond eftir aald Lowrie o da Voehead's poase fir a start noo.*

pobie (n) place-name for a high hill. The Fetlar haaf-men used to row out until they sank *da Pobie o Unst,* i.e. Saxavord.

pock (n) a net in the form of a bag attached to a handle, for catching fish.

pocky (n) a small paper bag, as used in shops; a pouch or swelling. *You could tell wi da pockies anunder his een at he wisna seen a bed for a start.*

poo (v) to pull; (n) the act of pulling.

pooch (n) a pocket in a garment. *Keep du dee money i dee pootch, me boy, an dunna spend it.*

pooer (n) a large quantity. *Hit'll tak a pooer o hay ta keep yun kye aa winter.*

pook (v) to kick or throw. *He tinks aboot naethin aless pookin da baa.*

poopin (adj) drunk. *He was fair poopin.*

poor (n) a destitute or helpless person. *I tink ill aboot yon twa poors bidin demsels.*

pooshin (n) a detestable person or thing. *He wis a proper pooshin an naebody laekit him.*

poosk (v) to poke around hunting for something. *Da doctor pooskit aboot me for a start, trivvelin an proagin aroond me rigg.*

pooskered (adj) exhausted physically. *Man, I'm fairly pooskered efter clippin aa yun sheep.*

pooster (n) vigour; virility. *He has nae want o pooster for a man o sixty.*

pör (n) a physically incapable person. *Wir jöst twa aald pörs sittin here wir lane.* (adj) poor.

pör aamos (adj) frail. *I tocht ill aboot da pör aamos aald body an gae her a haand wi her paets.*

pörta (n) poverty. *Da Whinnigirt fock is lived in pörta noo for years.*

possack (n) an unappetising morsel, a dog's breakfast. *He made wis some gruel but, boys a boys, sic a possack!*

pow (n) the head.

pram (v) to squeeze together. *Da yowes wis dat prammed tagidder ida peerie crö at you could hardly muv among dem.*

preen (n) a metal pin.

preeve (v) to taste. *I'm no preeved a morsel fae brakwist time.*

press (n) a cupboard. *I'm seen da day whin we hedna a morsel ida press.*

pretty dancers (n) the Aurora Borealis.

prettikin (n) a prank, a piece of mischief. *He wis full o prettikins but dey wir nae ill in him.*

prig (v) to plead or beseech. *What I priggit an prayed at her ta come but could I muv her!*

proag (v) to poke around, looking for something. *He wis never mair plaesed dan proagin aboot among aald ruins;* to jab or dig, as in the ribs; (n) a poke or jab. *Gie yun tatties a proag, wid du, ta see if der boiled.*

proil (n) spoil; booty. *He's gaddered a lok o proil aboot him in his time, wan wye an anidder.*

prood (adj) exposed. *Bairns, I could hardly bear ta look apon his leg as he lay dere eftir da accident — you could see da prood flesh.*

prunk (adj) smart and well-poised. *He wis sittin prunk apo da back o da horse laek a jantleman.*

puckle (n) a single grain of corn; a small quantity.

pund (v) to impound a straying animal. *All sheep found on the Vedrigeo scattald after the 1st of March will be pundit.*

punish (v) to consume; to dispatch rapidly, as food. *I wis black fantin whin I wan hame an I can tell dee I wisna lang punishin twartree plates o reestit mutton soup.*

purl (v) to poke and investigate with the fingers new potatoes growing in the drills. *I tink I'll geng an purl twartree new tatties for wir denner*; to poke about ineffectually. *I wiss du wid git on wi yun makkin, Liza: du's bön sittin purlin wi da wirset dis last half-oor.*

purt (n) a guttery mess. *Never du believe onything at comes fae yon purt o clash.*

pyaa (n) sign of life. *Dey wir hardly a pyaa atil him whin we fann him ida hill.*

pyaag (v) to labour with great effort and in an exhausted state. *Aald Willie wis pyaagin awa wi da sye ida coarn-rig but makkin little redd.*

pyaagit (adj) extremely exhausted.

pyilk (v) to pick out with a pointed instrument, as a whelk from its shell with a pin.

Q [1]

quaarl (n) the centre of the crown of the head where the hairs grow in a circular pattern. *Dey say at fock wi twa quaarls is lucky.*

quaig (n) a heifer; a young cow before she has had a calf.

da queer fellow (n) someone who is seen as an opponent or, at least, is in potential opposition.

What tinks du will da queer fellow say whin he fins oot du's brokken da window.

quigga (n) couch grass (*Agropyrum repens*).

quoy (n) piece of common land enclosed and cultivated. Used in place-names — *da Quoys, Quoyness.*

---

1. See Introduction, p. xxiv for distinction between the pronunciation of 'hw' and 'kw' sounds.

R

raab (v) to fall, as a mass of stones or rocks. *Da kye wan oot whaar da daek wis raabit.*

raad (n) avoidance of waste. *Dey'll never hae onything; raad dey hae nane.* (v) to economise. *He never seems to hae da pooer o raadin.*

raag (n) 1) disreputable person. *Dat is a raag o dirt.* 2) wet mist, almost a drizzle. (v) to wander idly about, with suggestion of being up to no good.

raamised (adj) peevish through lack of sleep. *I'm no hed me troubles ta seek, what wi raamised bairns an fantin kye.*

raan (n) the roe of a fish.

raase (v) to plunder or rob. *Dey raased him o every penny he hed.*

race (n) the narrow, wooden corridor leading from the main sheep-pen to individual pens which enables sheep to be sorted into individual lots; (v) to drive sheep through above. *I tink we'll race da sheep afore we hae wir denner.*

rack (n) an open wall unit for holding dishes. *Gie me doon a soup-plate oot o da rack, will du.*

raem (n) cream; (n) ramble on, in speaking. *He wid sit dere for oors, raemin awa da essence o dirt.*

raem calm (adj) extremely calm, with surface of sea as smooth as cream.

raep (n) 1) to drip with water. *Shö cam in wi da water raepin fae her.* 2) a line stretched between two fixed points for the purpose of hanging things to dry. *Hing up dee weet breeks ipo da raep for a start.* (v) to sew together roughly. *His claes wis in a aafil state — full o rints an holls raepit tagidder wi twine.*

rafter (n) a very tall person. *Boy, du's come a graet rafter. Wha taks du da heicht fae?*

rag (n) a poor, under-nourished person. *We got a braaly göd crop o lambs oot o da hill, aless for een or twa rags.*

raik (v) to range or rove around in a generally aimless way. *Shö göd aboot raikin fae hoose ta hoose.*

rain (v) to glare with the eyes. *I could tell bi da wye shö rained her een at me at shö wisna richt.*

rain-gös (n) the red-throated diver (*Gavia stellata*).

raise (v) to set up wet, freshly-cut peats as part of a drying process.

raised (adj) highly strung with a suggestion of insanity. *Whin shö cam in I tocht shö wis kinda raised laek.*

raisins (n) small piles of peats set up to dry.

rakki (n) the circular traveller which carries the yard up and down the mast of a sailing-boat.

ramp (v) to boil strongly. *Minds du, whin we baith wir younger, foo I ösed ta sit an look. At da muckle yatlin kettle hingin rampin ida crook* (Vagaland, *A Skyin-bow o Tammy's*). Also applied to a boiling temper. *He wis fair rampin.*

ramse (adj) having a harsh, unpleasant taste. *Da medsin wis braaly ramse wye but I clunkit hit doon.*

ram-stam (adj) careless, headstrong. *What can you lippen fae him — a föl, ram-stam craetir?*

ranksman (n) one of two boats, generally sixerns, which fished in pairs at sea, for companionship or mutual aid.

ransel (v) originally, to search a house officially by a **ranselman** for stolen property. Now, to make a thorough search for something lost; to rummage through. *He ranselled da hoose fae end ta end but he coodna fin his hammer.*

ranselman (n) a constable appointed under the old Country Acts with authority to search for stolen goods and to apprehend the thief. He was also empowered to keep order in his local parish. They were active in Shetland during the 18th and first half of the 19th centuries.

rant (v) to behave boisterosly. *Da bairns jöst ran wild, gyaan rantin trowe da hoose.* (n) a dance. *Aald Willie has played da fiddle at mony a rant i his time.*

reck (v) to reach. *Reck du me fiddle doon, an I's play you twartree*

springs. (n) span of a person's reach. *Du'll hae ta help me gadder up dis gear fae da howld — I'm owre short ida reck.*

redd (v) generally with **up**, to set in order, to tidy. *I'll hae ta redd up da but-end afore da fock come*; to disentangle. *Yun's a braa reffled hesp ta redd, yun een,* That's a complicated situation to disentangle; to comb, as the hair. *Shö wis sittin reddin her hair.* See **redder**. Expression *to redd up kin* means to sort out genealogical connections. *Shö wis a graet haand at reddin up kin.* (n) to make progress. *Dey wirna made muckle redd o da castin whin I wan tae da hill.*

redder (n) a comb.

reddins (n) fat gleaned from sheep's intestines and then used in the making of puddings.

reddin-straik (n) the coup de grace; the final blow in a fight. *Muckle Willie shön took a haand an gae yun quarrelsome oolit fae Setter da reddin-straik.*

redwaar codlin (n) cod which is reddish-coloured through feeding among **waar.**

ree (n) a spell of stormy weather.

reeb (n) a strip or streaky mark. *Dey wir reebs o blöd doon owre da side o his face.*

reebald (n) a scoundrel. *Dat aald reebald'll meet his match yit.*

reebins (n) the top planks of a boat.

reed (n) the fourth stomach of a ruminant. *Shö was wint ta mak aafil göd reedy puddins.*

reein (n) the squeal of a pig. *Da reeins o da grice could be heard trowe*

70

da hale neebrid. (v) to squeal, as a pig.

reek (n) smoke; (v) to smoke. *He's on da go braaly early: you'll aye see his lum reekin afore seeven.*

reeky (adj) smoky. *Da sooth-aest is wir reeky ert,* Our fire doesn't vent properly when the wind is south-easterly.

reel (n) a commotion. *For sic a reel as he cam in da door wi.*

reenkie (n) a jaunt. *He's awa agen apon ane o his reenkies.*

reers (n) pangs. *Afore he wan hame da pör dog hed showed a holl ida but door i da reers o fantation.*

reesel (v) to rummage noisily. *He reeselled among da tyools i da kyist till be fan a yarkin ellishon;* to shake or move vigorously. *He reeselled da door ta da back.* (n) a vigorous shake or jolt. *Mony a göd reesel I gae him whin we wir boys.*

reest (v) to cure mutton by drying in a smoky **but-end**; (n) a wooden framework laid across rafters on which meat was **reestit**. For example *da mutton reest.*

reestit (adj) smoke-dried. For example *reestit mutton.*

reeve (v) to haul violently. *He reeved da sail ta da masthead.*

reffel (v) to tangle. *Da bairn wis fairly reffelled da wirsit.* (n) a tangle.

reffelled (adj) tangled. *A reffelled hesp,* a tangled skein.

rensh (v) to rinse. *Hadd dee on a meenit, lass, till I rensh oot dis twartree claes.*

rest (v) to bank or smoor a fire overnight by covering peats in ashes.

restit (adj) smoored, as *a restit fire.*

restin-shair (n) a long wooden seat with back and arms.

rex (v) to stretch. *He raise aff o da shair, rexed hissel, an dan jöst aboot fell asoond whin he saa wha hit wis.*

rexter (n) a difficult undertaking. *Git aa da paets hame da nicht? He wid be him a rexter!*

rheumatics (n) rheumatism. Used with def art or dem pron, as *He's aafil buddered wi da rheumatics; dis rheumatics is fairly laid me up.*

rick (v) to catch, as a fish, by an upward jerk of line and hook. *I rickit a muckle troot at da mooth o da burn.* (n) a sharp, upward jerk with a line and hook.

ricker (n) a form of improvised gaff.

ride (v) to be in heat, as a cow. *Flecky is begun ta ride: we'll hae ta geng ta da bull wi her da nicht.*

rift (v) to belch; (n) a belch. See **brunt rift.**

rig (n) a plot of land; a field; the backbone or spine of an animal or person; (v) to dress. *Da bairns wis aye weel riggit;* to do up, modernise, as a house. *He wis fairly riggit up da hoose, wi a bathroom, electric light an sae trowe.*

rig-aboot (n) runrig. Also **rig-a-rendal.**

rikkel (n) an emaciated animal or person, used in phrase — *a rikkel o banes.*

riggin (n) the ridge of a house roof.

rimska (n) a frolicsome or lusting mood. *Keep du clear o him dis nicht, my lass; der a rimska apon him.*

rin (v) to run.

ringlit (adj) striped in a horizontal manner, for example a *ringlit cott*, a striped skirt.

rinkel (v) to tinkle. *He made me fair mad, staandin dere rinklin da money in his pocket.* (n) a tinkling noise.

rinker (n) a close-fitting woollen cap, worn usually by women.

rinks (v) 1) to make a clattering noise. *He wis rinksin up i da fire.* 2) to indulge in high-jinks. *Da bairns was rinksin aboot i da but-end.*

rint (n) a piece of tattered clothing. *Da pör sowl didna hae a rint o claes ta pit apo da bairns.*

rinty-pells (n) rags; tatters.

rip (n) a handful of cornstalks. *We wir wint ta set da bairns ta gadder rips whin we wir wirkin ida coarn;* a disreputable person, usually a woman; a fast-flowing current, for example a tide-rip; (v) to cut along the top of a peat-bank in preparation for the removal of top turves in 'flaying' operation.

ripe (v) to clear ashes in a fire-place with a poker. *Dunna ripe da fire sae faerce, boy; du'll pit him oot;* to clear stem of tobacco pipe with a cleaner; to dig up potatoes. *Hit's a slester o a job, ripin tatties wi dis weet wadder.*

ripper (n) an implement for cutting peat turves, as in **rip.**

risk (v) to cut grass with a sickle. *Whin Betty Bunt at bedd in Virse, Wis riskin reeds an gorsty-girse* (Basil R. Anderson, *Auld Maunsie's Crö*).

risp (n) a file or rasp; a rasping sound. *I could hear da risp o da shain owre da gunnel.*

rissie (n) a ridge. *Whaar dey took oot da stitches efter da operation dey wir a graet rissie.*

rit (n) an earmark in sheep consisting of a vertical slit in the ear.

rive (v) to tear. *Watch yun toarny wire or du'll rive dee claes;* to have boisterous fun. *He wis a lad o'm — aye cerryin on an rivin among da lasses;* to work vigorously. *Dere shö wis, rivin at an dellin laek a mad thing.*

rivin o da dim (n) daybreak. Literally tearing asunder the darkness.

rivlin (n) a shoe made from the untanned hide of an animal, with the hair outermost.

rivvick (n) a deep fissure in the ground. *Da lamb wis faan intae a muckle rivvick.*

roan (v) to plunder, as a bird's nest.

roilt (n) a large object. *Boy, for siccan a graet roilt o a neap I'm never seen!*

roo (v) to pluck the wool off a sheep.

roodery skerry (n) a rock covered with barnacles.

roog (n) a heap or pile. *We gaddered da paets inta muckle roogs afore we took dem hame* (in Dunrossness **roo**); a large, clumsy person. *Bairns, saa you whatna a graet roog Kirsy is come?* (v) to gather in heaps.

rook (v) to smoke, as a pipe. *Aald Lowrie wis jöst hissel agen, sittin rookin awa at da sheek o da fire;*

to cheat. *He wis bön fair rookit owre da sellin o his lambs.* (n) a smoke. *I'm jöst haein a peerie rook afore we turn til agen;* a poor, emaciated creature. *He wis jöst come a pör rook o a body.*

roose (n) a big, blazing fire. *Shö wis sittin neebin afore a graet roose o a fire.*

roosk (n) a big, strapping fellow. *Isna Willie come a graet roosk o a man?*

roost *(n)* a tide race, for example *Sumburgh Roost.*

rooster (n) a strongly blazing fire. *Boy, dat's a proper rooster o a fire du's pitten on.*

rooth (n) a piece of wood on top of gunwale of boat over which oar works as it is being rowed, to prevent chafing of gunwale.

rose (n) erysipelas.

roset (n) resin, used on bow of a fiddle.

roup (n) an auction sale; (v) to sell by auction. *He couldna pay his rent so dey jöst roupit him up.*

rout (n) a shout. *You could hear da routs an roars o'm far anyoch.* (v) to shout.

rowe (v) to roll. *Da bairns wis haein funs rowein doon da brae.* Also **rowl.**

rower (n) wool rolled between cards in preparation for spinning.

rowl (v) to roll.

röd (v) to talk on and on in a nonsensical manner. *Never leet him: he's jöst rödin awa a lok o bruck.* (n) empty, garrulous talk. *Hit's da sam aald röd — never leet him.*

röf (n) a roof; (v) to put on a roof. *I'm bön trang dis last twartree days röfin da barn.*

röl (n) a young horse. *A pellet röl,* a pony whose coat is well shed leaving only bunches hanging in **pells** like rags.

rönnie (n) a heap of stones. *Dey wir a rönnie o stanes apo da tap o da hill at da aald fock said wis pitten up wi da trowes;* a prominent rock on a hillside.

rös (v) to praise. *Rös a fine day at nicht* (p). Do not judge by first appearances.

röt (n) a root; (v) to poke around in search of. *What dat boy sits rötin awa among aald books.*

röv (n) a washer to which the nail, or **sem**, is clenched in fastening the planks of a boat, thus making a rivet. Thus the expression that the old Shetland boats were put together with **sem an röv.**

ruckly (adj) uneven, as a surface. *Hit wis a job keepin your feet on da ruckly briggie-stanes.*

rudge (v) to gather loose stones off a piece of arable ground. *Mony a day I'm spent rudgin leys.*

rummel (v) to collapse, as loose stones. *Da bairns is geen an rummelled da daek wi der climmin.*

rumse (v) to rummage. *Shö wis rumsin aroond ida muckle kyist lookin for a sock.*

run (adj) curdled, as of milk. *We wir wint ta hae run mylk an aetmell for wir supper*; collapsed, as **run waas**, collapsed dry-stone walls.

runch (n) a shifting spanner or wrench.

rung (n) a blow, usually with a stick. *He gae da dog a rung owre da back wi his staff*; see **runk**.

runk (n) the resounding rhythm of a fiddle playing reels. *Boy, ders naethin laek da runk o da fiddle to set your fit tiftin*. Also **rung**. (v) to ease somewhat in the weather. (n) a break in bad weather. *He cam a runk efter denner*.

runnick (n) an open drain running from byre to midden.

runshick or **runshie** (n) wild radish (*Raphanus raphanistrum*); wild radish or charlock (*Arvensis linapis*). Weeds with yellow flowers found in cornfields.

runt (n) the stem of a cabbage, *a kail runt*.

russie (n) a stallion; **russie foals**, nickname for natives of Fetlar, where large numbers of ponies were bred.

S

saa (v) pt of **see**, to sow seed.

saand (n) sand.

saandiloo (n) the ringed plover (*Charadrius hiaticula*).

saandy eel (n) the elver (*Anguila vulgaris*).

saat (n) salt.

saatbrack (n) the spray and foam from breaking surge.

saat cuddie (n) a straw container for salt, hung by the fireside.

sab (v) to soak, to saturate. *He fell ida burn an his claes wis sabbin fae head ta fit.*

sae (n) a wooden tub with two lugs for carrying or lifting. *Shö wis gotten da muckle sae foo o claes.*

saed (n) the saithe, a full grown coalfish.

sain (v) to bless. *O Loard! Sain me dis day!*

sair (v) to be sufficient. *Will yun sair dee?* (adj) painful. *Yun wis a sair dunt da bairn got*; severe, as *a sair winter.* (adv) sorely. *Shö gret sair.*

sal (v) shall. *I sal tell dee if du hings on a meenit.* Often used in contracted form *I'se* = I shall. Negative form **sanna,** shall not.

salist (v) to pause for a moment. *Lass, whit's dee hurry? Dip dee an salist a meenit.*

sam (n) same. Phrases: *dat sam,* just so, spoken to indicate agreement with something just said; *wi dat sam,* at that moment. *I wis nae shöner spokken whin, wi dat sam, in cam Beenie.*

sammas (conj) as if. *He göd doon apon his knees sammas he'd bön hurt.*

sang (n) song. Used also as mild expletive in expression: *Bi me sang!* — By Jove! *Bi me sang! I'll git dee yit!*

sanna (v) shall not. See **sal.**

sap (n) small quantity of liquid. *We baled for what we wir wirt but dey wir still a braa sap o water ithin her whin we wan ta da moorins.*

santet (v) made to disappear in a mysterious fashion. *Lass, I canna fin me watch nae wye. Hit man be santet.*

saps (n) bread soaked in milk, generally given to children or invalids.

sark (n) a shirt.

scad (n) a hurry. *Lass, tak paece! Du's forever in a scad.* (v) to scald. *Da Soaroo scad dee in his brö* — *Da sun is by Auld Maunsie's Crö* (Basil R. Anderson, *Auld Maunsie's Crö*).

scaff (v) to eat up.

scaffie (n) a street cleaner.

scam (n) a mark; a blemish. *Hit wis a aald dresser but dey wirna a scam apon him.*

scarf (n) cormorant (*Phalacrocorax carbo*).

75

scart (v) to scratch.

scat (n) land tax formerly paid to crown for arable lands in Shetland.

scattald (n) the common pasture ground allocated to crofters in Orkney and Shetland for use as grazing. It formerly applied to all land attached to a **toun**, including arable.

sclate (n) a slate.

sclater (n) wood-louse.

sclates (n) flat pieces of wood nailed to the shank of an oar to prevent its being chafed on the **rooth** during rowing.

sclaterscrae (n) a term of abuse to describe a pompous individual who talks at large about topics he or she knows little about.

scoarn (v) to mimic. *Loard forgie dee, boy, for scoarnin yun pör helpless craeter.*

scobbins (n) partly burned porridge or cereal which adheres to the bottom of a pan during cooking; pan-scrapings. *Mam, can I git da pan for da scobbins?*

scomfish (v) to choke from smoke or heat; to overwhelm. *I wis jöst aboot scomfished wi da haet ida keetchin.*

scooder (v) to scorch. *Da sconns wis a coarn scoodered but we swilled dem doon wi cupfoos o mylk.*

scoom (v) to clear away forcibly. *I couldna bide der onkerry ony langer so I scoomed da lot.* (n) foam, froth.

scoor (v) to wash. *I'm gyaan ta scoor up twartree haps*; to purge the bowels; (n) a wash; a purging of the bowels. *Der naethin laek geean your bowels a göd scoor*; diarrhoea. *He's gotten da scoor*; a shower of rain, usually with wind.

scoot (v) to void thin excrement, as of birds; (n) bird excrement.

scooty-alan (n) arctic skua (*Stercorarius parasiticus*).

scord (n) a fissure in the skyline of a hill. Used in place-names, *Scord o Scallowa.*

scordet (adj) scored; cracked through exposure to weather, as the skin of the hands.

scowe (n) a barrel stave.

screecham (n) a slang term for whisky. *Try du dis coarn o screecham: hit'll dö dee nae herm.*

screed (n) a swarm. *A screed o bairns.*

screedin (adj) swarming, as of insects.

scribe (n) a mark with a pen on paper. *Wir no hed a scribe fae Willie sin he left.*

scriech (n) a screech; (v) to screech.

scrime (v) to peer; to observe with difficulty. *I could barely scrime him ida hömin comin alang da banks.*

scrit (n) a scraping sound. *You could hear naethin but da scrit o his pen*; a rent, a tear. *Whaar got du yun scrit ida back o dee breeks?*; hurry. *As öswal he wis in a aafil scrit.* (v) to strike, as a match; to write. *I'm jöst able ta scrit twartree lines ta dee.*

scöl (n) school.

scöl-bairns (n) pupils.

scöl-wark (n) studies. *He dusna dö very muckle at hame but he aye keeps up wi his scöl-wark.*

scöp (n) a scoop for bailing out boat. See **owskerri**.

scunge (v) to drive away forcibly, to clear out. *I'm jöst wun back fae scungin yun deevils o almarks oot o da coarn.*

scunner (v) to be fed up with. *I'm fair scunnered wi aa dis argy-bargy. Can we no mak wir minds up eence for aa.* (n) dislike. *Fae da very first shö took a aafil scunner tae da place*; scoundrel. *Never darken wir door agen, du scunner at du is.*

scutter (n) trivial, time-taking work. *Der a aafil scutter o wark i dis weddin preparations.*

sea craa (n) razorbill (*Alca torda*).

sae-faerdy (adj) seaworthy, as of a boat.

sea-flech (n) the sand-flea.

seek (v) to be on heat, of an animal. *We better tie up da young bick: shö's begun ta seek*; to seek up to, to draw close to. *Da peerie lass wis seekin up ta me, nae doot lookin oot for a sweetie.*

seem (v) to notice. *I never seemed him.*

seg (n) the yellow iris (*Iris pseudacorus*). Also **seggy-flooer.**

seich (n) a sigh; (v) to sigh.

sem (n) the type of nail used to fasten the planks of a boat. See **röv.**

set (v) to plant potatoes. Phrases: **set at**, to sit and relax. *Bairns, noo at wir feenished yun at last, I tink we'll jöst set wis at;* **set doon**, to seat oneself. *I wiss du wid come in an set dee doon for a meenit;* **set in**, to seat oneself. *Boy, come dee wis, an set dee in ta da table;* **set on**, to keep a young animal over winter with a view to adding it to flock. *I doot du's set on mair lambs as du can cerry;* to work hard. *What dat*

man is wrocht an set on fae he cam ta Dale; **set owre**, to ferry across. *I aften set him owre da soond on his rodd ta Lerook;* **set up**, to improve one's position. *So dan, tak da money an clear oot. I'm shör hit'll no set dee up;* to develop, as a shower of rain. *He's settin up a shooer ida nor-wast;* to incite, to encourage. *I ken at some-ean is set dee up ta come an annoy me.*

setnin (n) a weaned lamb that has been added to the flock of breeding ewes.

shaald (adj) shallow.

shaav (v) to gnaw; to hack, in cutting. *Dere wis da fleckit coo staandin ida neap-rig shaavin awa for what shö wis wirt.*

shackleben (n) the wrist.

shaef (n) a sheaf, pl **shaeves.**

shaela (adj) dark grey, as a *shaela yowe*; (n) a dark grey colour.

shair (n) chair; (v) to cut corn, pt **shör**, pp **shoarn.**

shakkins o da böddie (n) last remnants of contents of basket. Also applied to *last child in large family.*

shalder (n) oyster catcher (*Haematopus ostralegus*).

shalmillens (n) smithareens. *Da vase wis laid in shalmillens.*

sham (v) to grimace. *What a sicht he wis, staandin dere girnin an shammin.*

shanty (n) a chamber pot.

shap (v) to chop; to mash, as potatoes. *Yun's Jeemie du hears, shappin up some fire-wid.*

shappin-tree (n) potato masher.

shappit tatties (n) mashed potatoes.

sharg (v) to nag; to argue cantankerously. *What dat twa aald bodies shargit in een anidder's face.* (n) nagging. *Da sharg o'r never stops.*

shark (n) nickname given to native of Bressay.

sharl-pin (n) the pin of a wooden door hinge.

sharn (n) cow dung.

shask (n) drudgery.

sharp (adj) sour, as milk.

shaste (v) to chase. *I'm debaetless wi shastin yun yowe.*

sheave (n) slice of bread. *Shö gae me a göd sheave o loff klined wi butter.*

sheek-for-showe (adv) cheek by jowl. *Baabie an Liza is bön sittin sheek-for-showe for da hale efternön. I can tell dee at someane is gyaan tae da waa.*

sheeks (n) excessive talk. *Hadd dee sheeks!* Stop your chatter!; chatterbox. *Dat is a proper sheeks, dat is.* (v) to speak excessively, usually in a gossiping manner. *He's aye sheeksin aa owre da place.*

sheeksfoo (n) mouthful.

sheeksy (adj) garrulous.

sheeks-rivin (n) jocular term for a meeting or discussion. *Wir men is geen doon ta da Hall for een o yun sheeks-rivins dey hae.*

sheeld (n) fellow. *Dere he wis — a muckle sheeld wi a black baerd.* Also **sheelder.**

sheen (v) to shine.

sheep's gaet (n) track made by sheep moving in single file.

sheephadden (adj) of a walled enclosure, capable of keeping sheep out.

sheep tief (n) nickname for native of Yell.

sheerlin (v) singing. *Laek da laverik ida hömin, Sheerlin whin da day is döne* (Vagaland, *A Skyinbow o Tammy's*).

sheet (n) in phrase *gie her sheet,* go as fast as possible. *Boy, gie her sheet noo at wir apo da open rodd.*

shew (v) to sew.

shickenwirt (n) chickweed (*Stellaria media*).

shift (v) to move quickly. (n) a change of clothing.

shiggle (v) to shake. *I wiss du widna shiggle da table whin I'm writing.* (n) a shake.

shiggly (adj) shaky.

shill (v) to bite out. *Da rabbits is bön shillin da neaps agen.*

shilpet (adj) sour. *Aa we got wis a shilpit sweetie.*

shimley (n) the chimney.

shimley-neuk (n) chimney corner.

shin (n) the chin.

shiv (v) to shove; (n) a shove.

shivvel (v) to shovel; (n) a shovel.

sho (n) the leaves of a potato plant.

shoard (v) to prop, generally a boat; to support; (n) a prop.

shock (v) to choke.

shocks (n) the jaws.

sholgry girse (n) yarrow (*Achillea millefolium*).

sholmet (adj) of a cow, having a white face.

shoo (v) to row a boat stern foremost by backing with the oars.

shooder (n) the shoulder.

shoormal (n) highwater mark on beach; the water's edge. *Dey fann his boady ee moarnin ida shoormal.*

shott (n) the compartment, or

room, in a sixern nearest the stern, used for holding the catch.

showe (v) to chew; to argue. *Dey showed awa at een anidder for a braa start, rakin up wan thing eftir anidder.*

shö (pron) she. Used occasionally, mostly humorously, to indicate a woman doing a job hitherto carried out by man — a **shö-doctor**, a **shö-postman**. Conversely a **he-nurse**.

shöl (v) to empty out with a shovel. *I'll shöl oot da byre an dan come for me brakwist*; to walk with a shuffling gait. *See's du wha's comin shölin doon da gaet. Aald Willie hissel.*

shön (n) pl shoes.

shölibrod (n) an old dilapidated article. *We jöst hae yun aald shölibrod o a kert ta tak da paets hame wi.*

shug (n) light drizzle.

shuggy (adj) drizzly.

shun (n) a small loch. Used in place-names, as *Da Loomishuns.*

shurg (n) wet gravelly subsoil. *Naethin 'll ever growe tae ony sense on dis laand — hit's jöst a lock o shurg an deevilry.*

shut (v) to cast line or lines overboard in fishing.

sib (adj) related by blood. *I canna mind foo hit comes aboot, but I'm sib ta dee.* (n) relatives. *Shö wis laekit bi aa at kent her, baith sib an fremd.*

sic (adj) such. *For sic a wark he's made owre dis new hoose.* Also **siccan** and **sicna**, *For siccan a kerry-on.*

sic an sic such-and-such, so-and-so. *He telt me at dis man wid come alang at sic an sic a time.*

siccar (adj) fierce; inclement. *Shö's ready ta lat bygones be bygones but du'll fin him braaly siccar.*

siclaek (adj) so so, no bad, as applied to health. *Foo is du, boy? O, jöst kinda siclaek.*

sid (n) the inner husks of oats, separated during sifting process.

siddy (adj) of oatmeal, containing husks. *Hairy butter is owre göd for siddy bread* (proverb), said of a match in which both partners have shortcomings.

sidelins (adv) sideways.

sideywyes (adv) sideways.

sidey-for-sidey (adv) side by side.

sigg (interj) an exclamation to incite a dog to chase an animal. *Sigg him, Bet!* (v) to incite a dog to attack. *I could hear him plain, siggin on da dog ta geng eftir da bairns — aald deevil at he is!*

siggy (n) yellow iris. Also **seg**, **seggy**, **seggy-flooer**, **siggy-flooer**.

signify (v) to matter. *What signifies dat?* What does it matter?

sile (n) the short iron bar across the under side of the eye of the upper millstone of a watermill. The spindle engages in the **sile** and thus drives the millstone. If the millstone goes too fast it comes off the **sile** and the mill is out of action. Hence the figurative expression applied to someone out of sorts — *He's aff o da sile.*

sill (n) the milt of the male fish.

sillock (n) the coalfish (*Gadus virens*) in its first year.

silly (adj) feeble, sickly. *He hed naethin ida hill aless twa aald silly yowes jöst laek lanterns.*

simmer blink (n) a short gleam of sunshine.

simmer dim (n) the twilight of a Shetland summer evening.

simmermal (n) 3rd April, traditionally regarded as the first day of summer and supposed to have the weather which will prevail that summer.

simmermal dance (n) the shimmering effect of light on a hot summer day.

simmonds (n) ropes made of straw, floss or heather for holding down roof-thatch or cornstack.

sin (conj) since. *Hit's twenty year dis verra day, Sin I last sang a New Year rime.* (James Stout Angus, *Echoes from Klingrahool*).

sin syne (prep) since then; from that time. *He left wis gittin on for tree year sin syne.*

sinder (v) to sunder, to separate. *I canna ken why you men didna tink ta sinder yun twa föl tings o boys fechtin afore dey hurtit demsels.*

sindry (adv) asunder. *I widna gie him ony mair toys if he's gyaan ta rive dem sindry laek yun.*

singaets (adv) in the direction of the sun's movement; clockwise. Opposite to **widdergaets.** Also **sungaets.**

sink (v) to destroy. Used as a curse — *Damn an sink dis fock at's aye late.*

sinknation (n) volley of curses and abuse. *What a sinknation he cam oot wi whin onything crossed him.*

sinnen (n) a sinew.

sipe (n) a very small quantity of liquid. *Oh! It's fine, have a wet. Na, says I, no a sipe.* (J. J. Haldane Burgess, *Scranna*).

sirpin (adj) soaking wet.

sixern (n) a six-oared boat.

skaadman's head (n) the sea urchin.

skaap (n) a bed of mussels.

skaar (n) a small quantity. *He wis able ta rise an aet a skaar o maet.*

skaer (v) to join two pieces of wood with a scarf-joint, as in planks of a boat; (n) a joint made as above.

skaer taft (n) the furthest aft 'taft', or seat, in a boat.

skail (v) to scatter. *Whin I pat da aald dog apon yun almarks ida ryegirse, heth, he wisna lang skailin dem.*

skalva (n) snow falling in large flakes.

skat rooth (n) to row *skat rooth* is to row a boat with one man on the for'ard *taft* and one on the mid *taft*, each with a single oar.

skave (adj) askew, squint. *Du's pitten yun hidmist strip o paper on skave.*

skavel (v) to make skave.

skeb (n) a large, straw basket or **kishie,** used for holding straw in a barn.

skeek (v) to use sparingly; to economise. *Du can aet yun aa at wan glunsh or skeek apon it,* instructions to dog.

skeet (v) to skim over the surface of the water, as a flat stone when thrown; to squirt. *Yun pooshins o boys wis skeetin da lasses wi water-pistols.*

skeetik (n) squid (*Loligo forbesi*).

skekler (n) a guizer, traditionally dressed in straw costume.

skelf (n) a shelf; a ledge of rock.

skelp (v) to strike with the open hand; to move rapidly. *Dere he wis, comin skelpin alang da rodd on his push-bike.* (n) a slap with the open hand. *Mony a göd skelp I got as a bairn an hit never did me ony herm.*

skeo (n) a hut for storing and wind-drying fish or meat, so constructed that the wind passed freely through the stones. No longer in use but the term can be applied critically to a poorly built house.

skerry (n) a rock standing out of the sea, frequently covered at high tide.

skevelled (adj) askew and mis-shapen. *Da shön apon his feet wir aa dirty an skevelled.*

skew-wheef (adv) squint; in a distorted shape. *Da bed wis collapsed apon him an wis aa lyin skew-wheef apo da flör.*

skile (v) to look with the eyes shielded; to peep or peer. *I could jöst see da broo o his kep whaar he was staandin skilin oot o da door.*

skirl (v) to laugh shrilly. *What da lasses skirled and gaffed whin da guizers wan among dem.*

skitter (n) diarrhoea.

skitter ida slap (n) the last load of corn to be taken into the yard at **hirdin.** Everyone hurried to avoid the dubious honour of carrying this load.

sklent (v) to tear, as a garment. *I'm gien an sklentit me breeks on yun dwined toarny wire.* (n) a long tear.

skoag (n) a fishing line.

skoit (n) a look with a specific purpose. *Boy, tak a skoit i da door ta see what da wadder is döin.* (v) to look with a purpose.

skoolm (v) to scowl. *He sat ida coarner an never said a wird but keepit skoolmin oot anunder his broos at me.*

skorie (n) a young gull still in its speckled plumage.

skran (n) odds and ends of rubbish gathered, usually by poor people; (v) to gather the foregoing.

skreebie (adj) cowardly, timid. *I widna a tocht he wid a bön sae skreebie ida dark.*

skroil (n) fragments. *He caad his elbuck alang da oarnament on da brace an laid it in skroil apo da flör.*

skroo (n) a stack of coarn.

skrotti (n) a lichen (*Parmelia saxatilis*) from which a natural dye can be made; the colour — reddish orange — produced by this dye.

skrovvel (v) to scrabble or grope. *I fann him foo o drink, skrovellin at da door tryin ta win in.*

skröf (n) the surface layer; the surface of the sea. *Dey wir jöst a skröf o frost ipo da rodd.*

skröl (n) a harsh, screeching noise. *I göd ta cross da rodd an for sic a screechin o brakes an skröllin o car horns dey wir.*

skruffel (v) to rustle. *I could hear da mice scrufflin among da coarn.* (n) a rustling noise.

skub (n) misty drizzle.

skult (n) the skull.

skurm (n) an outer shell, especially an eggshell.

skurt (n) to bosom within the folded arms. *Sho göd da hale wye wi da infant in her skurt;* an armful.
skurtfoo (n) an armful. *He cam in wi a skurtfoo o paets for da fire.*
skutamillaskroo (n) the game of hide-and-seek played among the cornstacks in the yard.
skyaags (n) pens for geese.
skyefset (adj) askew. *For sic a sicht he wis, staandin dere wi his riven claes an skyefsit shön.*
skyimp (v) to praise ironically. *Aald Meggie is aye skyimpin fock, but never du leet her.* (n) ironic praise, which can be used to deflate the pompous.
skyinbow (n) Shetland reel-tune played on the fiddle.
skyoamit (adj) sickly in appearance. *Shö wis a pör skyoamit-faced object.*
skyug (v) to take shelter under a wall or slope. *An generations still oonboarn will skyug da Winter snaa* (Vagaland, *Stoorbra Hill*).
skyumpik (n) a large, mossy peat, generally the outermost one cut in each row. Also **skyumpie.**
slacky (n) a hollow between hills.
slag (v) to stretch. *Fae I wyshed yon joopie he's fairly slaggit.*
slap (n) a breach in a wall, usually dry-stone; (v) to breach a wall.
slashy (adj) heavy, as of showers. *You canna wirk furt wi dis slashy shooers.*
slater (n) a wood-louse.
sleb (n) the underlip. *Ta hing (or set) a sleb,* to pout.
sleekit (adj) sly.
sleeky (n) conger eel (*Conger vulgaris*).

slepse (v) to eat in slobbering manner. *I couldna bide ta sit an watch him slepsin owre his maet;* to kiss excessively. *Dere he is agen, slepsin owre yun föl ting a lass.*
slester (v) to work messily in liquid. *Da bairns fairly enjoyed demsels slesterin ida sink wi paints an brushes*; to make messy. *Dey came hame slestered fae head ta fit in paint.* (n) guttery mess. *Da rigs is in a aafil slester efter da snaa.*
slicht (adj) flat calm, as of the sea; smooth.
slip (v) to let off, as a passenger. *You can slip me aff at da crossrodds.*
slock (v) to quench, or slake, the thirst; to extinguish a fire or light. *Du's gien an slockit da fire wi yun weet paets.*
slockenin (n) a satisfying drink. *What I widna gie for a slockenin o blaand.*
sloo (n) a lazy person; a slattern. *Yun muckle sloo jöst lies aboot da fire an never does a hand's turn.* (v) to hang about idly. *Hit made me redd mad ta see him lyin slooin aboot.*
sloob (n) slime, such as gathers on dead fish.
sloomit (adj) sly and underhand.
slott (n) a Shetland dish consisting of fish-livers and roe mixed with flour and oatmeal, then boiled and fired.
slud (n) an interval between showers.
slug (n) an overall worn by women.
slundy (n) a mob. *Dey wir a slundy o bairns rivin an cerryin on ida ben-end;* stream of abuse. *I didna ken what ta say whin shö met me wi a slundy o oaths.*

slurd (n) small, driving rain.

slushit (adj) slovenly. *What a slushit craeter dat's come.*

slutter (n) a mess, often the result of slovenly behaviour.

sly (n) a green slimy growth on staanding or still water.

smaa (adj) slim; narrow. *A smaa ting o lass; A smaa openin.*

smaa drink (n) a nickname given to a native of Scalloway.

smatshet (n) a small, mischievous child; a rogue.

smeeg (n) a smirk. *Saa du da smeeg apon his face whin I telt him me story?* (v) to smirk.

smisslen (n) the sand-gaper shellfish (*Mya truncata*).

smit (v) to infect, as with a contagious or infectious disease.

smook (v) to draw on — or off — a garment. *I wis jöst smookin on me joopie whin I heard da fit on da brig-stens.*

smooky (n) a fisherman's oilskin smock.

smooriken (n) a kiss.

smoot (v) to slink; to move furtively. *I wisna weel left da but-end afore I saa da cat smootin in da door.*

smora (n) clover (*Trifolium repens*).

smore (v) to drown. *We fan da aald ram smored in a stank at da back o da hill;* to suffocate. *I wis laek ta smore wirkin doon yunder ida peerie cellar.*

smuck (n) a carpet slipper; nickname for native of Aithsting.

snaar (n) the turn of the tide. *Da tide is run wi mony a snaar* (James Stout Angus, *New Year's Verses*).

snaa (n) snow; (v) to be snowed up, as sheep. *Wi dis ert da sheep are shör ta snaa.*

snaaie fool (n) the snow bunting (*Plectrophenax nivalis*).

snapper (v) to stumble. *Der mony a göd horse snappered* (p).

sneck (n) a latch. *Whin du comes jöst lift da sneck an come in;* small inshore fishing grounds, *da Codlin Snecks;* a notch. *Da coo's tedder wis pood aff owre da sneck on da stake.* (v) to secure with a latch. *Whin du laeves mind an sneck da ooter door.*

sneeb (v) to snow quietly.

sneester (v) to laught quietly. *Tammy said naethin but sat sneesterin tae himsel.* (n) a sort of private laugh.

sneet (v) to blow the nose.

sneet-cloot (n) a handkerchief. Used humorously.

snib (n) a bolt on a door.

snick (v) to switch on. *Wid du snick on da licht as du gengs ben.*

snipper (v) to pucker; to wrinkle. *Her face fairly snippered up whin shö felt da guff o da soor fish.*

snippik (n) the snipe (*Capella gallinago*).

snitter (n) a biting cold wind. *Wir hed a spell o frost an nor-wast snitter.*

snoiltit (adj) cut very close, as a cow's horns or the hair of the head.

snorie-ben (n) a child's toy, consisting of a leg bone of a pig or a short piece of wood which, when spun on a piece of string, makes a snoring noise.

snöd (n) the spiral twist of the straands of a rope; a twist of temperament. *Yun's pitten him in a snöd. We can look oot noo.* (v) to put twist into a rope. *Da coo is gien an snöddit up da tedder.*

snöl (n) a simple-minded person. *What did du yun for, du pör snöl at du is?*

snug (adj) close-cropped, as hair or wool. *I tink you clippit da sheep owre snug wi dis bitter wadder.*

snug-ooed (adj) short-haired. *Yun snug-ooed moorit yowe is hed twins every year yit.*

snurl (n) a kink in a line or thread. *Dis clew o wirset is gotten in a aafil snurl;* a frown or wrinkling of the brows. *Shö's no plaesed: sees du da snurl atween her een.*

snurt (n) mucus from the nose; the burnt end of a wick.

snush (v) to sniff or snort; (n) a sniff or snort. *Der wisna a soond aboot da place aless da snushin o da baess ida byre.*

snyirk (v) to creak. *Da dog prunkit up his lugs wi da snyirk o da grind.* (n) a creak.

snyivveries (n) wooden toggles for fastening a garment.

so (interj) used to convey a variety of meanings, depending on the intonation: please yourself; that's quite all right; oh, well, so be it; yes, that's fine. In the form **so so** it can convey such meanings as: there, there (comforting); that's enough (warning); very well (acceptance).

soaroo (n) the Devil. Used in phrases of malediction or exasperation — *Da soaroo scad dee in his brö* (Basil R. Anderson, *Auld Maunsie's Crö*). *Whatna soaroo is dis du's dön? Wan ta soaroo o him wid come. Ean ta soaroo o him wid muv. Soar-a-peel I care,* Devil a scrap I care.

soch (n) the sighing of the wind; a deep sigh. *What shö soched an took on whin da news cam.*

sock (n) knitting. *Come doon alang some nicht, lass, an tak dee sock.*

soe (n) half-boiled limpets chewed in the mouth then **sprootit** on the sea as bait to attract **sillocks**; fig fragments. *Da parcel wis gotten some guideship for whin I opened him every gless wis laid in soe.*

solan (n) gannet *(Sula bassana).* Also **solan gös.**

solemn (adj) extremely bad. *Da wadder dis hidmist pairt o Mairch is bön truly solemn.*

songie (n) a hermaphrodite, as of a sheep or pig.

sonsie (adj) comely and attractive, generally applied to women. *Shö's come a fine, big, sonsie lass.*

soo (n) a female pig.

sooans (n) a dish prepared from husks of corn (or oatmeal) which are first steeped in water until fermented, then strained, leaving mealy substance — sooans — and liquid — swats. The sooans are boiled with water and eaten like porridge.

sook (v) to dry by exposure to wind, as piltocks — hence *sookit piltocks.* (n) drying quality. *Der no muckle sook wi dis wadder.*

sooky (adj) having a good drying quality. *Dat's a göd, sooky wind for da paets.*

sool (n) the plank in a Shetland boat which lies between the **hassens** and the **reebins.**

soolp (n) a soft, soggy mass, especially of earth. *Da tattie rig* *is in a proper soolp o dirt dis moarnin.*

soom (v) to swim.

soorik (n) sorrel (*Rumex acetosa*).

soosed (v) cooked without coming to the boil. *Da rice soosed an dan it better soosed for fower goadly oors an dan shö took it aff an we suppit it.*

sooth-moother (n) an incomer to Shetland.

soss (n) a mess, usually involving water. *Bairns, what are you bön döin? Da flör is in a soss o weet an everything's heels-owre-head.*

sot (adv) an emphatic form of **so**, used mainly by children.

sove (v) to stun or be stunned with a blow. *As I wis gyaan inta da barn I soved mesel on da door lintel;* to reduce to a state of stupefaction or shock. *Lass, I'm fair soved wi yun news du's come wi.*

sowdian (n) a large, corpulent person. *For siccan a graet sowdian Liza is come.*

sowl (n) used as an expression of pity or mild disparagement when applied to a person. *We never lippened da sowl ta fin his wye.*

spaegie (n) muscular pain caused by over-exertion. See **creeks, hansper.**

spaek (v) to speak. Phrases: *ta spaek back,* to reply impertinently; *ta spaek alang,* to drop in for a conversation.

spaekalation (n) talking-point of community, with a suggestion of scandal. *Bairns, bairns, dis is aafil. We'll be da spaekalation o da perrish.*

spang (v) to bound, to run with long strides. *He cam spangin doon owre da brae ta meet me.* (n) a bound; a leap.

sparrel (n) the long intestine between stomach and anus.

speer (v) to squirt. *Der's sometin wrang wi dee car. I can see water speerin fae underneath.*

speet (n) a heavy shower of rain. Also **thunder-speet**, heavy rain along with thunder.

spell (v) to take a turn at work for someone; to relieve. *Boy, du's bön rowin for a braa start. I'll spell dee.* (n) a relief in working. *I'll gie dee a spell;* a shaving of wood removed by a plane. Also **spellick.**

spend (v) to wean. *Hit'll no be lang afore we spend da lambs.*

spent (n) of a fish, in poor condition after spawning.

spew (n) a revolting sight. *Yun rigoot is jöst a spew ta be seen.* (v) to vomit.

spewins (n) vomit.

spikk (n) fat, usually from whale.

spilt (adj) leprous. In place-names — *Spilt Wife's Hoose,* house where a leper was isolated.

spindrift (n) sea spray whipped and blown by heavy winds. *Da spindrift wis gyaan ta da girse laek snaa.*

spleet new (adj) brand new.

splore (n) turmoil; agitation. *For sic a splore he made owre yun wirryin dog.*

spo (v) to prophesy; to predict. *Mony a thing at shö's spoed is turned oot true.*

sponget (adj) black with broad white spots on the back and sides, as a cow.

85

spoot (n) the razor-clam; a quick, darting movement. *Da dug made wan spoot for da door an wis gone.* (v) to make a rush.

spölli (v) to throw around haphazardly; to break up. *Dey wir brocken in ta da hoose an spöllied da aald man's gear*; to cause a commotion. *If Lowrie wins doon tae da Haa Hoose he'll spölli among dem.*

spön (n) a spoon.

spör (v) to ask for, to enquire about. *Du haes a tongue, boy. Du can aye spör*; to propose marriage, to ask for a girl's hand of her parents. Hence the **spörin bottle** — a bottle of whisky brought by the young man as a contractual lubricant.

sprech (v) to cry shrilly, as a child; (n) a shrill cry. *Da sprechs o da bairn keepit dem oot o sleep maist o da nicht.*

spree (n) a jollification. *If we geng alang Houlland wir shör ta hae a göd spree.*

spret (v) to burst; to rip open. *My Willy, du's spret dee breeks agen — dey mann be owre stret.*

sprickle (v) to wriggle; to flounder, as a fish when taken out of water. *Ithin twartree meenits we hed a dose o piltocks spricklin ida boddom o da boat.*

spricklit (adj) speckled. *Whaar got du yun spricklit hens fae.*

spring (n) a lively dance tune. *Gie wis a spring or twa on dee fiddle, boy.*

sprit (v) to run very fast; (n) a dash. *For sic a sprit he made for da banks.*

sproot (v) to spout; to spit. *I can mind Aald Daa sprootin kale seeds ida planticrub.*

sproan (v) to spray; to void liquid in a spray. *Nae winder I'm stinkin wi dip. Da ram buldered on his back ida dipper an sproaned me fae head ta fit.*

spunder (v) to race; to rush. *Oot cam da dog yalkin laek mad an sent da sheep spunderin doon owre da rigs.*

spunk (n) a spark of fire. *Shö reeselled ida fire an shön da spunks wis fleein up da lum.*

spurrytail (n) an earwig.

spyolk (n) a splint. *We hed ta pit a spyolk apo da yowe's brocken leg.* (v) to bind a broken limb with a splint.

staag (v) to walk stiffly and slowly. *When ower da crö da sun wis high, Oot staagin cam da Setter kye* (Basil R. Anderson, *Auld Maunsie's Crö*).

stab (n) a fencing-post.

stack (n) a tall column of rock rising out of the sea, usually parallel to the adjacent cliff-face; a peat-stack. *I'm gyaan tae da stack.* (v) to build a a peat-stack. *I'm trang stackin me paets.*

stack-steid (n) the foundation of a peat-stack.

staig (n) a young horse.

stammerin (n) a transom knee in the bow and stern of a boat which binds the sides and the stem together. The stern one is used as a seat for the helmsman.

stang (n) a shooting pain. *Da stangs fae dis rheumatics gengs shuttin troo me.*

stank (n) a ditch in which water stands.

stap (n) a Shetland dish in which liver and soft parts of the head of a fish are mixed together, then seasoned; a mish-mash; small pieces. *Da stot brook lowse ida barn an laid da aald hand-mill in stap.*

stapple (n) the stem of a pipe, originally clay.

starn (n) a moment; a short period. *Mam'll be doonstairs in a peerie start.*

starty (adj) fidgety, excitable. *Watch whin du's mylkin da fleckit coo. Shö's kinda starty wye.*

staves (n) phrase: *gyaan in staves* — figurative expression for pregnant, **staves** being the curved side-pieces of a barrel.

steek (v) to shut, as a door. *For dere as I stöd, heth! I steekit her* (the door) *fast, Wi da tae o me clug laek da step o da mast* (J. J. Haldane Burgess, *Scranna*): to shut, as the eyes; to clench, as the fist.

steekit (adj) extremely dense, *a steekit mist*, a dense fog. Also known as *a steekit stimna.*

steepel (n) a pile of fish on a beach, laid crosswise to dry.

steer 1) (n) excitement, turmoil. *For sic a steer dey wir whin ever dat oolit o a boy was aroond.* 2) (v) to stir, as in *steerin da pot.*

steid (n) a foundation of a building; a dense shoal of fish; (v) to gather in a shoal. *Da sillocks wis steidin at da head o da pier.*

sten (n) a stone. Also **steen, ston.**

stenbiter (n) catfish (*Anarrhichas lupus*).

stend (v) to walk with long, purposeful strides. *Here's Robbie comin up da rodd. What's apon his mind, I winder?*

stenloopen (n) a blood-blister caused by crushing of skin by a stone; (adj) bruised in above manner, *a stenloopen tae.*

stengle (v) to close up an opening temporarily in an improvised manner. *He wis stengled up da door wi a aald bed an twartree posts.*

sten-shakker (n) the wheatear (*Oenanthe oenanthe*). Also **stenkle, stenshik, stinkle.**

stent (v) to stretch. *Da coo is aeten dat muckle hay oot a da dess at her belly is stentit fit ta burst.*

stiggy (n) a stile; a set of steps in a dry-stone dyke for use in climbing over.

stiggisom (adj) revolting, as of food. *Gadge! I'm never aeten sicna stiggisom diet as yun.*

still an on (adv) nevertheless. *I warned him but still an on he wid geng.*

stime (v) to peer closely. *What's du sittin stimin aa nicht i dis aald book for?* (n) a faint trace of anything. *Whin I cam first oot o da bricht licht I couldna see a stime.*

stimin (adj) very drunk. *Nae winder he lost his rodd: he was jöst stimin.*

stimna (n) stamina; strength. *Aet up dee gruel, boy! Hit'll pit stimna ita dee.*

stinkle (n) wheatear. See **sten-shakker.**

stirn (v) to shiver with cold. *Come dee wis in tae da fire, Jeemie. Du's bön sittin stirmin apo da kraegsaet aa nicht.*

stivven (v) to become stiff with cold. *See's du da state he's in — fair stivvened wi da cowld.*

87

stock (n) heart of a cabbage, a *kale-stock*.

stock-dyook (n) mallard (*Anas platyrrhyncha*).

stock-whaap (n) curlew (*Nermenius arquata*).

stoit (n) a fit of obstinacy. *He's in wan o his stoits agen.*

stoo (v) to cut or crop, as hair. *Man, I hardly kent dee wi dee head stooed laek yun.* (n) an ear-mark, usually on sheep, consisting of a piece cut off backwards from the tip.

stook (n) six to twelve sheaves of corn set up in pairs to dry in the field. (v) to set up in **stooks**. *We'll hae ta geng an git da coarn stookit dis efternön.*

stoor (v) to stare in a dejected manner. *Dere shö sat, stoorin ida fire an never a wird oot o'r*; to move swiftly. *He's stoorin aboot da rodds apon his bike.* (n) a strong breeze. *We can lippen a stoor o wind fae da wastird afore da nicht is oot*; dust. *You couldna see da place for stoor.*

story-wirm (n) the grub of the crane-fly or daddy-long-legs.

stot (n) a young castrated ox.

stowen dunt phrase: *in a stowen dunt*, suddenly and unexpectedly. *Da minister cam apo me in a stowen dunt.*

stöels (n) the cut end of a sheaf of corn.

stör (n) originally a Dutch coin, but came to mean a penny. *I didna wirt hae a stör i me pooch.*

strae (n) straw.

straen (adj) made of straw, as *a straen röf*, a straw-thatched roof.

straff (n) difficulty; state of anxiety. *For sic a straff as shö wis in — I truly felt soarry for her.*

stramash (n) commotion, turmoil. *Did du ever hear aboot da stramash at wis owre da biggin o a new Hall?*

stramp (v) to walk firmly. *Dere dey wir, strampin back an fore across me new-wyshen flör.* (n) step; stride. *Shö said he could geng an bigg a new hoose if he waantit but shö wid never pit a stramp ithin her.*

strange (v) to wonder or marvel. *Man, I truly strange at some o dis things you see apo da TV.*

stravaig (v) to wander about aimlessly. *What dat craeter stravaigs aboot fae here ta dere.*

streek (v) to lay out a dead body.

strem (n) the Spring tide. *We'll maybe git twartree spoots wi da strem.*

stret (adj) tight-fitting, as of clothes. *Yun breeks is far owre stret apo dee. Du'll hae ta git me ta lat dem oot a bit.*

strick (n) a stirk or stot; a young bullock. (v) to strike.

stridey-legs (adv) astride, as on a horse.

striffen (n) the thin tissue covering the intestinal fat of animals.

string (n) a strong current in the sea.

strinklin (n) a small quantity spread evenly.

stripe (n) a small stream.

strodie (n) a lane between two walls; a grassy strip between two cultivated pieces of ground. See **gorstie.**

stroint (n) a pipe, a spout.

stroint-pipe (n) the mouth of a drain, often an effluent discharge.

strood (n) a suit of clothes. *Dere he wis, lookin braa, in a new strood o claes.* (v) to kit out with clothes. *He wis shön stroodit oot wi new gear.*

stroods (n) the shrouds on a boat — ropes from the masthead to the gunwale supporting the mast.

stroop (n) the spout of a kettle, teapot.

stroopie (n) familiar form for teapot. *Da sicht o stroopie waarms me hert;* by association: tea. *Will du hae a aer o stroopie?*

strops (n) trouser braces.

strug (n) toil; labours. *Shörly aa dis strug an onkerry 'll come tae a end some day.*

strynd (n) inherited trait. *I dunna laek ta see yun strynd ithin him. Hit's jöst his faider up agen.*

studge (v) to walk heavily; frequently under a burden. *Here he comes studgin wi a kishie o paets.*

stuggit (adj) full of food. *I couldna preeve anidder morsel; I'm fair stuggit.*

stumba (n) a thick mist. **steekit stumba**, a mist so thick it is impossible to see ahead.

stumse (v) to be bewildered, bemused. *What ails dee, boy? Du's sittin yunder aafil stumsed laek.*

stunk (v) to pant with exertion; (n) a pant. *You could hear every stunk at he gae comin up da stairs.*

sturdy (n) a disease of sheep in which a tumour forms on the brain, causing giddiness, staggering and ultimate death.

sturken (v) to coagulate. *Mind an wysh da lem afore da fat sturkens apo da plates.*

stylk (n) a single stalk of oat straw.

styooch (n) dust; sea-spray; commotion, suggesting the raising of a cloud of dust. *Dey'll be in a fair styooch at hame whin dey hear aboot dis.* (v) to emit smoke. *Da fire was styoochin awa fine;* to work busily. *Shö wis aye styoochin aboot da hoose döin something.*

sukkalegs (n) stockings without feet, used as gaiters.

sungaets (adv) in the direction of the sun's movement, from left to right; clockwise. Also **singaets.**

sutshkin (n) a brother or sister of same parents.

swaabie (n) the great black-backed gull (*Larus marinus*).

swaar (n) a swathe of corn or grass, cut by a scythe; the darkest time of the night, *da swaar o da dim*, the darkest part of the short summer night.

swack (adj) active; energetic; supple. *Dere's a couple o swack young sheelders. Dey'll gie dee a haand.*

swaander (v) to stagger; (n) a stagger. *I dunna tink Jeanie is richt. I wis awaar o'r giein a swaander as shö cam in da door.*

swaara (n) heavy, thick woollen yarn used for knitting underclothes; the underclothes themselves; (adj) made of above yarn, as *swaara draaers.*

swaarlik (n) a miry hole, often rather smelly.

swap (v) to strike with a sudden blow. *Nae winder Willy wis tirn. Naebody laeks bein swappit aroond da lugs wi a weet dish-cloot;* to fling; to cast, as a fishing-line; of wind, to blow in gusts. *Da sooth-aesterly gale cam swappin doon owre da hill an snorin ida lum.* (n) a blow; a sudden gust of wind. Phrase: *a swap i da tröni*, a blow in the mouth, or a kiss (used humorously).

swarfish (n) spotted blenny (*Pholis gunnellus*).

swash (n) a large amount of drink. *I could dö wi a göd swash o blaand for a slockenin eenoo.*

swats (n) the liquid in which oatmeal has been steeped in making **sooans.**

swee (v) to singe; to hiss, as water in contact with heat; to sting, from a burn. *Nae winder dee haand is sweein wi a burn laek yun.*

sweel (v) to swing around. *He sweeled aroond i da shair an gae me sic a look.*

sweerie (n) a box or frame for holding bobbins of yarn; (adj) lazy. *A sweerie man is shön forbidden* (p).

sweerie-geng (n) the first, and most difficult, row in knitting.

sweerta (n) laziness. *Du needna lippen ony help fae yon craeter — lyin sukkin i sweerta.*

sweet (v) of milk, fresh. *Hit's a aafil thing ta say, but we dunna hae a drap o sweet mylk ta pit i wir tae.*

swick (v) to cheat. *Der's aa kinds o swickin but shörly da truck system wis een o da warst.* (n) a cheat; a swindler.

swill (v) to wash or rinse. *Wait a meenit till I swill da lem;* to wash down with a drink. *I glaepit twa bannocks swilled doon wi a mug o tae.* (n) a wash. *Gie dee face a swill afore du gengs oot;* a swivel on a tether.

swinkle (n) the sound of liquid gently splashing; (v) of a liquid, to splash gently. *Yae, der's still a coarn o petrol ida tank — I can hear it swinklin.*

swinklan (adj) to be full of drink, drunk.

swirten (v) to flatten.

swittle (v) to splash gently in water. *Gie da peerie eans a coarn o watter ida sink ta swittle ithin an dey'll play for ooers.* (n) the gentle splash of water. *Aa wis still, less da cry o da birds an da swittle o da sea aroond da skerry;* anything watery, as a weak cup of tea which might be referred to as *a coarn o swittle.*

sye (n) a scythe.

sye-sten (n) a sparpening-stone.

sye (v) to strain liquid through a sieve. *Whin I'm feenished syin da mylk I'll come wi dee.*

syer (n) a sieve for straining milk.

syer-cloot (n) a piece of muslin cloth laid inside **syer** to assist straining process.

synd (v) to rinse out a vessel several times after initial washing; (n) a rinsing. *Mind an gie yun mylk-pells a göd syndin.*

syne (adv) that time. *Hit's a braa while fae syne at he wis here.*

T

ta (prep) to. *Wid du tak yun tushkar doon ta dee faider.*

taand (n) a piece of burning peat; a firebrand. *O dunna lay da cowld clods up ta da lowan taands* (Basil R. Anderson, *Livin Colls an Cauld Clods*).

taas (n) narrow streaks of light. *We wan hame wi da hidmost taas o daylicht*; a teacher's strap for chastising pupils; fine roots of a plant.

taat (n) thick worsted yarn for making rugs.

taatit (adj) made of above yarn, *a taatit rug*, which was used formerly as a sort of bed-quilt.

taatie (n) a potato.

taatie-craa (n) a child's plaything consisting of a potato into which several seagull feathers are stuck. When thrown into the air it spins round making a whirring sound.

taatie-möld (n) potato ground.

taav (v) to caulk temporarily the timbers of a boat. *Du could a taaved up yun spleet wi a tarry cloot*; to pack solid. *An eens wi der lugs taav'd up wi cotton oo* (Rhoda Bulter, *Gyaan ta da Doctor*).

tae (n) tea; (adj) the one — in the combination *da tae wye* or *da tidder*, the one . . . and the other. *I wiss du wid set dee doon apo da tae side or da tidder.*

taek (n) the straw, heather, etc., used as protective covering or thatch for houses, corn-stacks; (v) to thatch a roof.

taek-gaet (n) the clear area on wall-head of house where thatcher stood when working.

taekit (adj) thatched, *a taekit röf.*

taer (n) a tear. *Dey wir taers in her een.*

taft (n) an oarsman's seat in a boat; a thwart.

tag-set (v) to hound or harry. *Da dogs was tag-set da lambs at da coarner o da yard-daek.*

tagset (adj) dishevelled, tattered, untidy. *Boy, du canna geng furt aa tagset laek yon.*

taing (n) flat land projecting into the sea. Used in place-names.

tak (n) act of taking a bait, as a fish. *Der no muckle tak apon her da nicht.* (v) to take; to assume. *I tak du'll be gyaan alang da shop on dee wye hame.* Phrases: **ta tak aboot**, to secure crops against bad weather. *We'll hae ta tak aboot da skroos afore dis wind comes*; to wrap up against the weather. *Tak weel aboot dee, joy, afore du gengs furt;* **ta tak aff**, to take aback. *Wisna I da taen aff whin shö laandit in dastreen an wis ready ta geng oot*; to abate, as weather. *Haddee a meenit till dis shooer taks aff an du'll* *win hame dry;* **ta tak at**, to go ahead. *So, tak at dee, boy, an we'll shön win hame;* **ta tak efter**, to resemble. *He taks yun temper efter his faider;* **ta tak ill we**, to take badly with. *Shö'll tak ill wi da toon efter aa da freedom shö's hed here;* **ta tak in**, to welcome the New Year in. *Wir aye taen in da New Year wi wir fock;* **ta tak in for**, to speak in support of. *Du wis aye ean at took in for Lowrie;* **ta tak on**, to take the consequences. *So, tak du on. Du's wrocht weel for it*; to lament. *What shö took on whin her man wis lost!*, to celebrate. *Dey wir gaffin an skirlin an takkin on*; to pay attention. *For aa at I gae him a broad hint he never took me on;* to work very hard. *What dat body is strivven an taen on wi da croft fae her man deed;* **ta tak til**, of the eyes, to cry. *Whin his midder quarrelled him he took til his een;* **taen til** (adj) noted, but very often ridiculed, notorious. *He was taen til for his queer wyes;* **ta tak up**, to look after. *Shö took up da bairns efter der midder deed*; to collide with. *He fell an his head took up da daek;* **ta tak up ita**, to increase, as the wind. *He's takkin up ita da wind;* **ta tak up itil**, to show interest. *I broached da fishin but he never took up itil it;* **ta tak weel wi**, to be friendly with. *Da fock took aafil weel wi da new minister.*

tammasmass (n) St Thomas's Day — 21st December, traditionally regarded as a day of rest.

tammy noddie (n) a child's name for sleep, the equivalent of Wee Willie Winkie. *Du's waandered for*

da day, gyaan til, an comin fae, Noo Tammy Noddy's comin owre da broo (Laurence Hutchison, *Tammy Noddy*).

tammy norie (n) puffin (*Fratercula arctica*).

tamto (n) heyday. *Du sood a seen her whin shö was in her tamto.*

tane (pron) the one. *You canna tell da tane fae da tidder.*

tang (n) generally name for large, coarse seaweed, especially the genus *Fucus*, which grows above the low-water mark, as opposed to **waar**, whih grows in the sea, below the low-water mark.

tang bowe (n) one of the balls on a stalk of **tang.**

tang sporrow (n) rock pipit (*Anthus spinoletta*).

tang whaup (n) the whimbrel (*Numenius phaeopus*).

tantle (v) to anger and upset.

tapster (n) the boss; the top dog. *I can assure dee, whatever happens, he'll come oot tapster.*

tap-swaar (adj) top-heavy.

tarrow (v) to reject, especially food; to be fussy over food. *A tarrowin bairn is never fat* (p).

tarry krook (n) a fork with the prongs set at right angles to the shaft, used in gathering and spreading seaweed for manure.

tash (n) a disgrace; a mark of shame. *Yun'll be a tash apon his name at'll no be shön forgot.*

tedder (n) a tether.

teddisome (adj) tedious.

tee (n) thigh; leg of mutton.

teet (v) to peep; to steal a glance. *I could jöst scrime da shape o'r teetin oot da window.* (n) a peep.

teetik (n) a pipit, especially the meadow pipit (*Anthus pratensis*).

tell (v) to recite. *I wiss du wid tell owre yun bit o poetry at du said at da concert*; ail, in sentence *What tells dee?* What ails you? (n) word. *He wis never heard tell o more.*

tengs (n) fire tongs.

tidder (pron) the other. *You canna tell da tane fae da tidder.*

tide-lumps (n) sea building up suddenly through the action of tidal currents.

tift (v) to throb. *What dat toom tiftit efter da polltice göd apon him.*

tig (v) to beg. *Eence tinklers göd aroond tiggin for oo.*

tigger (n) one who begs.

til (prep) to. *Whaar is du gyaan til? I cam til him an fann him in a pör wye.*

tilfer (n) a loose floor-plank on the bottom of a boat.

timmer (adj) having no ear for music.

ting (n) a young child. *Dere's yun peerie ting ithoot its midder.*

tint (v pt) lost. *I canna mak it oot fir I'm tint me glesses.*

tinter (n) a small quantity, a small trace of colour. *A tinter o snaa, a tinter o grey.*

tip (v) to draw a small amount of milk from cow, perhaps to get milk for the tea in a hurry; to walk jauntily. *Boy, sees du da whenks o her comin tippin alang da rodd.* (n) a small drop, usually of milk.

tird (v) to throw off, generally clothes; to work busily; (n) state of excitement. *What tinks du is pitten him in sic a tird?*

tirl (v) to turn over, usually in falling. *I caaed me fit in a muckle sten an tirled heels-owre-head in a stank.* (n) a fall; the wheel of a Shetland mill.

tirn (adj) angry; bad-tempered. *You could tell bi his face at aald Tammas wis braaly tirn.*

tirrick (n) arctic tern (*Sterna paradisea*).

tirse (n) a state of agitation and bad temper. *For sic a tirse as he wis in. I could hardly git a wird in aidgewyes.*

tittie (n) a girl; a young woman.

tiv (n) a tuft; a small piece.

tivlik (n) joint or segment of bone structure, as in the backbone. *Na, my boy, du's no funn oot every tivlik o his rigg yit.* Also **lith**.

tize (v) to entice; to entreat. *I luckit an tized him but he widna come.*

toam (n) a fishing-line.

tocht (n and v) thought.

too (v) to blow on a horn or trumpet; to toot; to make a hooting noise. *We heard da boat tooin as shö cam in da harbour.* (n) a hooting noise.

tooder (v) to tousle, dishevel.

tooderie (adj) tousled. *What a picter he wis wi his white face an tooderie hair.*

tooel (n) a towel.

toog (n) a small mound.

toom (n) the thumb.

toon (n) until the 19th century name given to an area of arable land on an estate with associated common grazing rights in the scattald, and occupied by a number of tenants; the arable enclosed land of an individual farm; each individual enclosed piece of arable land on a farm. *I'm pitten da gimmers ida Lower Toun*; a town, for example Lerwick.

toonmals (n) when runrig system was in operation these were the lands, usually adjacent to the dwelling-house, which were permanently used by tenant for grazing, and not rotated.

toonship (n) a more modern term for **toon**, with the emphasis more on community than land distribution; a group of houses and associated land.

toorie (n) a woollen cap.

toosk (n) a tuft of hair in a dishevelled head.

tooskit (adj) dishevelled. *Shö wis a pör lost-lookin, peerie ting, wi her riven froak an tooskit hair.*

toot (n) a small swig of alcohol. *Will du hae a peerie toot o me bottle, boy?*

tottim (n) a spinning-top.

towe (v) to thaw; (n) a thaw. *Dey'll be a proper upslaag wi dis towe.*

townet (n) a knitted garment.

tows (n) fishing-lines, especially long lines.

toyik (n) a small, straw basket.

tö (adv) too; likewise. *Sall I tell him tö?* (prep) In phrase **lay tö** means to close. *Wid du lay tö da door whin du comes oot?*

tö-faa (n) a porch with a lean-to roof.

töllie (v) to quarrel; to fight. *Yun twa wis wint ta töllie a lok but I'm blyde to see dem mair freendly.*

töm (v) to pour. *Da rain wis tömin whin we raise ta laeve.* (adj) empty. *Da glesses is töm. What aboot anidder roond?*

tömald (n) a downpour of rain.

tömikins (n) a piece of equipment used for putting the twist into home-made ropes.

tön (n) a tune.

tö-name (n) a nickname.

tö-tak (n) a disreputable character; a person spoken of for foolish or depraved conduct. *What a disgrace, for wir Jeemie ta tak up wi yun tö-tak.*

traa (v) to twist. *I wis dat mad I could a traan da oolet's neck.*

traan (adj) awkward; perverse. *Dat is a traan craeter.*

traawirt (adj) obstinate; unbending. *Du'll never git yun traawirt object ta see dy wye.*

trachle (n) wearisome work. *Shö's hed her a trachle bringin up aa yun bairns.*

trachled (adj) overworked; put upon.

track (n) a period of time; a spell of weather. *Dat's bön a aafil track o wadder for da time o year.*

tracks (n) way. *I'd better mak tracks for hame.*

traep (v) to argue persistently. *Shö traepit doon me trot at shö wis never seen yun dog afore.*

traik (v) to roam around aimlessly. *Yun uncan man is bön traikin aroond da neebrid for a start noo.*

traivel (v) walk. *He's traivelled mony a lang gaet.*

trams (n) the shafts of a cart. By transference, the legs, usually of a woman. *Wan thing, shö has a göd pair o trams apon her.*

trang (adj) very busy. *I'm bön trang makkin, fae I got yun big oarder.*

transe (n) the passage between the but and ben-end of a cottage.

trapple (n) the windpipe.

trath (interj) troth. Used in exclamatory phrases. *Bi me trath! Na, dat in trath!*

tread (v) to copulate, especially birds.

trentlet (adj) of clothes, long and narrow. *A queer-lookin body, he wis, in his lang trentlet cott;* of persons, long and lanky.

tresh (v) to thrash.

treshel-tree (n) the threshold.

trig (v) to make neat and tidy. *Wait dee a meenit for I trig mesel up.* (adj) neat and tidy.

trinky (n) a narrow trench or passage.

trist (v) to squeeze with a twisting action; to wring. *Whin I'm tristit oot dis swab I'll come an gie dee a haand.*

triv (n) bits and pieces. *Da hoose wis in a upsteer wi triv an bruck everywye.*

trivvel (v) to grope, feel with the hands. *Ta da hert at reads da lesson, Ye can trivvel an ye're blinnd* (J. J. Haldane Burgess, *Da Oobin Wind*).

troag (v) to walk heavily and slowly; to tramp. *Sees du her, pör sowl, still tryin ta troag ta da shop.*

troke (v) to exchange, to barter. *I'll troke dee a knife for yun water-pistol o dine.*

troo (v) to believe. *Troo du me —* Believe you me.

trooen (n) a trowel.

trooker (n) a disreputable woman. *. . . help wis aa ta hadd wir towng wi dat ill-makkin trooker* (Rhoda Bulter, *Da Trooker*).

trooter (n) a trout-fisher.

trow (n) a mischevous fairy.

trowie buckie (n) a snail shell.

trow's caerds (n) fern fronds.

trowie girse (n) the foxglove (*Digitalis purpurea*).

trow's hadd (n) a habitation of trows.

trowe (adv) through. *Come dee wis in trowe*; an invitation to enter.

trowe-pit (n) zeal in working. *I widna gie him a job. Der nae trowe-pit wi him.*

tröni (n) a pig's snout.

tröttel (v) to mutter in a disaffected manner. *Shö wis sittin tröttlin awa but I never leetit her.* (n) a disaffected muttering.

truck (v) to trample. *Jöst look foo dat hens is truckit wir coarn.*

trump (n) a Jew's harp.

trumph (n) trump in cards; (v) to beat an opponent's card with a trump-card.

trumsket (adj) sulky; unsociable. *He's a queer trumskit craeter an never mixes wi a sowl.*

trunsher (n) a large plate.

truss (n) useless odds and ends.

trusset (adj) untidy.

trysht (n) difficulty; trouble. *I'm hed me a trysht wi aa dis veesitors.*

tully (n) a large open knife with wooden handle.

turk (n) nickname of native of Cunningsburgh (south).

tushkar (n) a spade with feathered blade for cutting peats.

tusk (n) a fish of the cod family (*Brosmius brosma*).

tuslag (n) coltsfoot (*Tussilago farfar*).

twa (adj) two; a few. *I'll pit twa paets apo da fire.*

twafaald (adj) doubled up. *Pör aald Teenie — shö's gyaan twafaald.*

twall (n) a cup of tea mid-morning. *I'll be alang for me twall ane o dis days.* Also **twall-cup** and **twalloos.** (v) to milk the cow at midday.

twalmont (n) a year.

twartbaak (n) a tie-beam between two rafters.

twarter (adj) crossgrained, as wood.

twartle (v) to cross, oppose. *Dunna twartle da bairn or he'll never learn.*

twartree (adj) two or three. *Twartree bairns.* (n) several people. *Dey wir a braa twartree dere.*

twasper (v) to come at speed, to hasten. *Sees du dem comin twasperin doon da rodd.*

tweet (n) laborious work. *He's bön him a hard tweet.* (v) to whittle. *I fan him sittin at da gaevel o da barn tweetin a piece o wid.*

tweetishee (interj) a malediction, damn. *I wid say 'tweetishee' ta da lock o you.*

twig (v) to understand. *I never twigget at he was needin help*; to tug. *He felt a twig apon his line.*

twilt (n) a quilt.

tyal (n) a tie or fastenng. *Shö wis sittin wirkin wi da tyals o her anorak.*

tyoch (adj) tough.

tystie (n) black guillemot (*Cepphus grylle*).

U

udal (adj) applied to land held by natural possession, according to an ancient Scandinavian system of freehold tenure, and subject to the payment of scat but not to any feudal service.

udaller (n) one who holds property by udal rights.

uggle (v) to besmear. *He is uggled fae head ta fit wi gutter.*

ulination (n) an uproar.

unawaars (adv) not aware.

unbiddable (adj) stubborn; indisciplined.

uncan (adj) strange; unfamiliar; from another area, as *a uncan man, a uncan yowe, a uncan laand.*

uncans (n) news. *Weel, bairns, what's your uncans?*

undömious (adj) enormous, extraordinary. *He cam oot wi a most undömious roar.*

unhaandy (adj) inconvenient.

unhonest (adj) dishonest.

unkirsen (adj) of food, not fit for human consumption; unclean.

unpossible (adj) impossible.

Up-Helly-Aa (n) fire festival held in Lerwick on the last Tuesday of January. It has its traditional roots in Scandinavian and Celtic fire festivals with modern accretions such as the burning of a Viking model ship, guizers and tableaux. (*The Shetland Times* insists on **Up-Helly-A'**).

upliftet (adj) elated. *Shö wis fairly upliftet whin shö got da news.*

uploppm (adj) boisterous, uncontrollable in behaviour. *Never du leet him. He's jöst a uploppm eediot.*

uplowsin (n) a thaw. *Everything is in a slester wi dis uplowsin.* Also deluge of rain.

upslaag (n) a thaw. Also **uplowsin.**

upsteer (n) a commotion. *Der's bön him a upsteer wi dis oil fae first it cam.*

uptak (n) responsibility. *Shö's hed a braa uptak wi yun bairns fae da man wis lost at da fishin*; an onset of bad weather, often a recurrence.

V

vaam (n) a spell. *Hit wis clear ta everybody but him at shö wis cassen a vaam apon him.* An odour. *Der a queer vaam wi dis butter.*

vaanloop (n) a downpour of rain. *Whin da lift is black wi thunder lumps, An da vaanloop socks da laand.* (Vagaland, *Hametochts*).

vaar (v) to give heed to; pay attention to. *Never du vaar. Hit'll come aaricht ida end.* (n) attention, notice. *If we took vaar we wid turn wis back wi dis aafil nicht.*

vaarie (n) change of direction. *He's tön a vaarie.*

vaddel (n) a sea-pool at the head of a voe which fills and empties with the tide.

vaege (v) to wander. *He was forever vaegin aroond da banks lookin for wid.* (n) a journey; a trip to sea.

vaelensi (n) a violent gale; very stormy weather. *For sic a vaelensi! Wir no hed da laek o dis for lang.*

vaerdi (n) a belief or superstition. *Dey wir a aald vaerdi i da place at da Toogs wal-water wid cure rheumatics.*

varg (v) to soil; to defile; to work in a messy condition. *Du's aye vargin among dis aald engines.* (n) dirty, messy work. *For aa da varg an slester o dis croft wark, I laekly widna laek ta change it.*

variorum (n) a piece of decoration in furniture, china; (v) to decorate.

vass (v) to tie a thread on lamb for identification, possibly to "midder up". (n) the thread or mark used.

vatty-kabe (n) a kabe or thowel-pin with a notch on top in which the fishing-line lies.

veesik (n) an old song or ballad.

veeve (adj) vivid; clearly seen. *In fancy aft I stramp across, an see it aa dat veeve, A'm laith sometimes ta come awa fae da laand o mak believe.* (Rhoda Bulter, *Whin We Wir Young*).

veevly (adv) vividly.

veggel (n) a stake in the wall of a byre to which a cow is tied. The rope is da **veggel-baand.**

venom (n) a detestable person. *I'll git dee yit, du venom at du is.*

vex (v) to feel sorry. *I'm truly vexed ta hear du canna win ta da weddin.*

vill (n) the stroke of an oar in rowing.

vimmer (v) to quiver, to tremble.

vinster (n) a disease of sheep, involving inflammation of the stomach. Known as braxie in Scotland.

virmish (v) to long anxiously or passionately for something. *I'm bön virmishin for years for a sicht o da aald place agen.*

98

vire (n) a great beauty; the best of its kind. *Shö wis da vire o da isle.*

voar (n) the spring of the year. *Nae time laek da time wi da green paek shaain an da smell o da aert ida first o da Voar!* (Vagaland, *Voar Wadder*); seed-time and the work associated with it. *Wir fock lippened every ean ta gie a haand wi da voar an da hairst.*

voe (n) an inlet of the sea, generally long and narrow.

vod (adj) unoccupied, as a house.

vooer (n) a wooer.

vyalskit (adj) lacking in energy.

vyld (adj) vile, obnoxious, as a *vyld* tste or smell.

vynd (n) a skill; a style of doing something. *Young Willy hed a naiteral vynd wi a boat.*

vyndless (adj) clumsy; lacking in technique. *He's been a vindless, graceless picter fae da first day at I kent him.* (Rhoda Bulter, *Neeborly Feelin*).

W

waa (n) a wall.

waa-back (n) a paraffin lamp with flat back for hanging on a wall.

waageng (n) a taste or smell which lingers. *I aye tink at a cup o tae efter a diet o stap taks awa da waageng o da fish oil*; the reverberation of an incident into gossip. *Der's still da waageng o yun last splore dey hed.*

waaken (v) to awaken. *Mind an waaken me at seeven.*

waakrife (adj) sleepless; able to do with little sleep. *What a trysht shö hed wi yun waakrife bairn!*

waand (n) a fishing-rod.

waar (adj) to be aware. *Du's no waar o wir fock, is du?* (n) the large, broad-leaved seaweed, especially of the *Fucus* and *Laminaria* type, which grows under the water. See **tang.**

waari (adj) covered in waar, as a **waari baa.**

waaverin laef (n) the greater plantain (*Plantago major*).

wabbit (adj) exhausted, feeble.

wadder (n) weather; a wether or castrated male sheep. (v) to get to windward of. *I'll hae ta come aboot, boys. Wir no gyaan ta wadder da Point.* (adj) toward the wind; windward. *Shö's no a graet boat for gyaan ta wadder.*

wadder-head (n) pattern of clouds running in columns or streaks across the sky, used in forecasting weather.

wae (adj) sorrowful.

wael (v) to select. *Dey will at waels* (proverb). Those who are too fastidious often make the wrong choice.

waesome (adj) causing sorrow. *Dat's a truly waesome tale at du's telt.*

waev (n) a revolving piece of wood fixed to door-post for holding door closed.

waff (n) a slight odour.

wairin (n) a strip of wood nailed to the **baands** of a boat for the **tafts** or thwarts to rest on.

wak (n) allocation; share. *Whit's du tröttlin aboot? Du's gotten dee wak.*

wan (pron and adj) one; a single thing. (v) to wane, as the moon.

wan (negative prefix) as in **wantrivven, wanrestit.**

wanless (adj) hopeless; destitute. *Shö wis left, a pör wanless body, wi help fae nedder sib nor fremd.*

wanrest (n) unsettled rest.

wanrestit (adj) having slept poorly. *I'm wanrestit an tired an no very göd company.*

wantrivven (adj) in poor physical condition; stunted.

wanwirt (n) a trifle. *I'm blyde I göd ta yun sale. I got a dresser for a wanwirt.*

wap (v) to throw vigorously. *Whin da wind strack he wappit da fish ida boddom o da boat an yockit a oar.* (n) a blow. *First he kent he got a wap anunder da lug at sent him fleein.*

waptree (n) the rod that connects the treadle and axle of a spinning-wheel.

war (adj) worse. *Boy, boy! Mak da bairns nae war as dey ir.*

warback (n) an abscess on back of cattle caused by the warble fly or gadfly (*Aestrus bovis*), which burrows under the skin.

wark (n) work; disturbance. *For sic a wark as what you're makkin.*

warn (v) warrant. *I'se warn you'll no ken wha dis is.*

warsel (v) to wrestle; to struggle. (n) a struggle. *Dey hed dem a braa warsel afore dey got da boat hame ida gell.*

wart (n) a lookout point on high ground. Occurs in place-names, as *da Wart o Bressa.*

waster (v) to shift towards the west, as the wind; (adj) lying towards the west, as *da waster paet-banks*, those furthest west.

wastird (n) the western part. *I'm gyaan ta da wastird da nicht.*

wat (v) to bet, used in asseverative phrases, as *I wat du's seen dis aa afore.*

watertraa (n) heartburn.

weary (adj) depressing; awful. *I tink I'll laeve dis weary wirld an tak a room in Scallowa.*

weeg (n) kittiwake (*Larus tridactylus*).

week (n) wick, of a candle or lamp; the corner of the mouth.

weel (adj and adv) well. *I'm no weel. I kent him weel.*

weel I wat I know definitely. *Weel I wat du's no comin.*

weet (n) a wet; a drink. *We'll maybe git a weet afore we geng hame.* (v) to make wet.

weety (adj) rainy. *Hit's kinda weety wye da nicht.*

weird (n) fate. *Yun pör sowl is hed ta dree a weary weird,* has had to follow out a dismal fate.

wengle (v) to twist and turn, as a burn.

wenglit (adj) tall and thin and rather ungainly. *For sic a wenglit body as you ever saa.*

wha (pron) who.

whaal (n) a whale.

whaanious (adj) extremely large.

whaap (n) curlew (*Numenius arquata*).

whaar (adv) where.

whaarm (n) the rim of the eyelid on which the eyelash grows.

whaasay (conj) as much as to say. *Hears du him knappin? Whaasay he's a cut abön wis.* (n) a pretence. *Fower-fitted craeturs never hoast for a wha-say.* (J. J. Haldane Burgess, *Rasmie's Smaa Murr*). Also **whaarsay, whaarsaymeko.**

whaase (pron) whose.

whaasel (v) to wheeze; (n) a wheezing in the chest. *Da bairn keepit wis waaken dastreen wi an aafil whaasel at da breist.*

whalp (n) a puppy.

whan (adv) when.

wharve (v) to turn over mown hay with a rake.

whatten (adj) what kind of. *Bairns, whatten a wark is dis you're makkin?*

wheef (n) a swift blow or movement. *Gie du a göd wheef apo da startin-handle an shö'll go.*

wheefer (n) a large object. *A graet wheefer o a skyumpie.*

wheelbands (n) thin intestines of sheep, which when dried were used as wheelbands for spinning-wheels.

wheesht (interj) a call for silence. *Be quiet! Wheesht wi dee, dog!*

whenk (n) a sudden odd gesture or movement. *Sees du da whenks o Willa. What tinks du is come owre her?* (v) to flounce; to indulge in odd gestures and movements.

whet (v) to stop. *Boy, whet yun foally. Hit wis black dark afore we whet.* Also **white** in pr t.

whid (n) a sudden motion; a whim. *Yae, yun's him gotten inta ean o his whids agen.*

whilk (v) to gulp; to make a noise in swallowing. *He wisna lang whilkin doon da cup o tae.* (n) a gulp.

whillie (n) a skiff.

whinge (n) to whine; to complain in a whining manner; (n) a whine or whimper.

whirk (n) the hollow of the sole of the foot; the instep; the corresponding part of the sole of boot or shoe.

whiss (v) to question, usually inquisitively. *Dey whissed wis nae want but we said naethin.*

whitrit (n) stoat (*Mustela erminea*).

wi (prep) by. *Da peerie lass wis cloored wi da cat;* of. *I nearly deed wi da fivver.*

widdergaets (adv) in a direction opposite to the sun's movement; anti-clockwise. See **singaets.**

widderwis (adj) perverse; obstinate; awkward. *Du'll never git yun widderwis craeter ta agree.*

widge (v) to shift the body uneasily. *He wis staandin dere widgin aff o ee fit on apo da tidder.*

wig (v) to shake, to wag.

wiggly (adj) shaky; unsteady. *Dis post is still braaly wiggly. Du'll hae ta caa him in a grain mair.*

will (v) to go astray; to lose one's way, pt **wilt** pp **wilt**. *See an no will gyaan owre da hill ida dark.*

wilsom (adj) liable to cause one to lose one's way. *Hit's a black, wilsom gaet so watch desel.*

winderfil (adj) marvellous, considering. *At her age I tink shö's jöst winderfil.*

win (v) to go, to get, pt **wan** pp **wun**. *I'll try an win owre da moarn.*

windlin (n) a small bundle of straw.

winnish (v) to pine away. *Da tings o lambs is jöst winnishin awa wi dis blashy wadder.*

wint (adj) accustomed. *I wis wint ta geng ta da craigs every nicht.*

wip (v) to bind two objects together with a cord; to coil round. *Da net wis wippit aroond der propeller.*

wir (adj) our.

wires (n) knitting needles. *I wis laid by me wires an dovered owre ida shair.*

wirlie (n) an opening at the bottom of a wall or fence through which a burn runs.

wirs and **wiroos** (n) our house. *Is du comin doon alang wiroos da micht?*

wirry (v) to worry, as a dog may to sheep; to choke. *Da coo wirried on a muckle tattie.*

wirsells (pron) ourselves.

wirset (n) woollen yarn; (adj) woollen, as *a wirset gansey.*

wirsom (n) the pus from a festering sore.

wish (v) to wash, pt **wösh**, pp **wishen.**

witteens (n) information. *Are you hed ony witteens aboot yun man at göd a-missin.*

witter (n) the barb of a fish-hook. (v) to be caught on a hook. To be caught securely, to become stuck. *I kent I wis wittered afore I startet so I held me paece.*

wiz (pron) us.

wizzen (n) the gullet.

wrest (v) to sprain, as an ankle.

wrestin treed (n) a popular cure for a sprain was for a wise woman to tie this black thread around the affected part and say the appropriate incantation.

wret (v) wrote.

wye (n) way. *Come du dis wye.*

wylk (n) a whelk; periwinkle.

Y

ya (adv) yes.

yaag (v) to nag; to annoy by persistent demands. *What dat bairn yaggit on fae wan thing tae da idder.* (n) continual nagging.

yaager (n) small trader who clandestinely bought goods, especially fish, from Shetland crofter-fishermen when they were under obligation to deliver to the laird.

yackle (n) a molar tooth.

yae (adv) yes.

yak (n) nickname given to native of Cunningsburgh (north).

yalder (v) to bark loudly and repeatedly, as a dog. *Can naebody git yun dog ta whet yalderin laek yun.* (n) loud, continuous barking.

yalk (v) to yelp or bark, as a dog; (n) a yelp or bark.

yallicrack (n) a hubbub; a great commotion. *Whatna yallicrack wis yun I heard doon at da hall dastreen?*

yammalds (n) twins.

yap (v) to yelp, as a pup; to chatter on. *What dat wife yaps fae moarnin ta nicht.* (n) a yelp; a constant chattering.

yarfast (v) to secure anything in danger of being blow away. *Wir yarfasted da skroos as weel as we can.*

yarg (v) to complain incessantly; to carp. *I wis hed anyoch o his yargin at never aesed.* (n) incessant complaining and criticising.

yark (v) to grab forcibly; to tug vigorously. *He wis fairly yarkin oot da paets wi da tushkar;* to snap with the mouth. *First I kent, da dug comes rippin oot an yarks me ida leg.* (n) a grab; vigorous tug; a quick, large bite or drink. *He set da bottle tae his head and took a yark oot o'r;* a large person, *a yark o a boy.*

yarken (n) the instep; the side seam of a shoe-upper.

yarken ellishon (n) shoemaker's awl.

yaarm (v) same as **nyaarm** — to bleat.

yarta (n) a term of endearment, 'my dear', 'darling'. *Hjarta, haste dee hame* (Refrain from *Poem* by William J. Tait, *The New Shetlander,* No. 8).

yasp (adj) lively; energetic. *Come on, you young eans! Git apo da flör! You're yasp an able ta dance aa nicht lang.*

yatlen (adj) made of cast-iron. . . . *da muckle yatlen kettle hingin rampin ida crook.* (Vagaland, *A Skyinbow o Tammy's*); of blood, rich and red, usually applied to newly shed blood. *Da wind flans in frae Sumburgh Head, Whaar dayset in a glöd, Hings ower da far haaf's wastern rim, Rieb'd red as yatlin blöd.* (Laurence Graham, *Flans Frae da Haaf, Nordern Lichts*).

yatt (v) to pour in a large quantity. *Boy, dunna yatt desel foo a cowld watter on a empty stammick.*

yatter (v) to harp on about something; to chatter continually. *I wis fairly daeved wi her yatterin.*

yield (adj) barren, of a female animal that does not bear young. *We'll be castin twartree yield yowes ida hairst*; applied to cows during period of parturition or when farrow; (v) to stop milking a pregnant cow shortly before calving.

yird (v) to bury in the earth. *I'm bön awa yirdin twa mair yowes at's gien ida vinster.*

yirn (v) to curdle.

yirnin (n) curdled milk. *Der's somethin wrang wi yun lass. Shö's gyaan wi a face laek steepit yirnin.*

yittel (n) a gland of the neck.

yoag (n) large horse-mussel (*Modiolus modiolus*).

yole (n) a six-oared boat, slimmer, shallower and smaller than the sixern, rowed usually by three men with two oars apiece. Used mainly in Dunrossness area for fishing.

yock (v) to grasp firmly. *Shö yocks a spade, comes buxin in, An scrits da earten flör* (J. J. Haldane Burgess, *Boocin Baabie*); to set upon; to attack. *I yockit a hadd o'm afore he said ony mair.* (n) a grab. *He made a yock for me.*

yowe (n) a ewe.

yowl (v) to howl, as a dog; (n) a howl.

yöl (n) Christmas and the festive season; the Christmas dram. *Na boy, du canna geng. Du's no hed dee Yöl yit.*

yöl-girse (n) meadowsweet (*Spiraea ulmaria*).

yuglet (adj) having a colour round the eyes different from colour of rest of body.

yuck (v) to itch or feel itchy. *My nose is yuckin — der trouble brewin.* (n) an itch; a strong desire.

yucky (adj) itchy.

ENGLISH-SHETLAND

THIS PART of the Dictionary does not attempt to give precise meanings but is designed simply as a guide to anyone looking for a Shetland equivalent of an English word. When that is found a fuller meaning can be obtained in the Shetland-English section. For example, this section gives **aamos, hansel** and **kyoab** all as equivalents of "gift", whereas they each have a distinctive shade of meaning as is shown in the first section.

A

abate faa awa, daachen, tak aff
above abön
abundance aafil, boady, footh, hush, immense, lurgit
ache benwark, creeks, nyaag, hansper, spaegie
accident misanter
acquainted acquant
across ower by
active swack, yasp
additionally benon, firbye
adze eetch
afraid faerd
after efter
aftermath waageng
against fornenst
aggressive ower-end
agitation aet, ammerswak, cat-aet, flickament, pan-fry, splore, tirse
ailing badly, atween da bed and da fire
ails tells
Aithsting (nickname) smuck
ajar ajee
alas less
alert aaber, gleg
allow lat
almost maistlins
alone alane, demlane, himlane
always aye
amber laamer
amiable hellisom

anger (n) birse (v) tantle
angler trooter
angler fish masgoom
angry mad, tirn
ankle cöt
ankle-sock cöttikin
announce applös
annoyed gaggit
ant mooratoog
anti-clockwise widdergaets
antics atfirts, whenks
anus (fish) gutriv
anvil lapstane
anxiety amp, straff
anxious cörious, kibby
any ony
anything ocht
apparition feyness, ganfer
appease cöllie aboot
approach draa up
apron brat
arch (of foot) whirk
arctic skua skootie alan
arctic tern tirrick
argue showe, traep
armful skurt, skurtfoo
armpit oxter
artful clooky
ash ess
ash-bucket essy-backet
ashamed affrontit
as if sammas

ask aks, spör
askew skave, skevelled, skyefsit
astride stridey-legs
asunder sindry
at all ava
ate öt
attention vaar
attic laft
attractive fainly, sonsie

auction roup
aurora borealis Merrie Dancers, Pretty Dancers
awaken waaken
aware waar
awkward anyatwart, ill-bistet, traan, widderwis
awl ellishon

B

babble haver, röd
backbone rig
backwards backlins
backwash (of sea) affrug
bad ill, solemn
bad-tempered crabbit, ill-willied, pernickety
bag buggie, pockie
bait soe
bale owse
baler owskerri, scöp
ball baa
ballad veesik
bang bong, dad
bank (fire) rest
barb witter
barely gödably
bark gulder, yalder, yalk
barren yield
barter cose, troke
bask beek
basket böddie, cuddie, hövi, kishie, skeb, toyik
bastard mirrybegyit
bathe beek, dook
beach ayre
beak neb
beat boofel, lunder
beauty vire

bed böl, flatshie, lang-bed
bedding buss
bedeck dink, divvish
been bön
beetle clock, hundiclock
before afore
beg cadge, tig
began begöd
beggar tigger
begrimed greemit see dirty
behaviour atfirts
behind ahint
belch rift
belief vairdi
belittle nochtify
bellow bröl, gölbröl
bemused stumsed
benumb doven
besides forbye
besmear clatch, clert, elt, guggle, uggle
bespoken feft
bet wat
between atween
bewildered stumsed
bewitched fey, mösed, santet
bird fool
bit coarn, grain, peel
bitch bick

bite paek, shill
bitter nipsiccar, ramse
blamed hubbit
blazing azin
bleat nyaarm, yaarm
blemish blae, scam
blenny swarfish
bless sain
blister blibe
blizzard caavie, moorie
blood-blister stenloopen
blow baff, dad, doose, dunt, knoilt, rung, runger, wheef, sneet *(the nose)*
blows handigrips
bluebottle fishy-flee
bluish-grey emskit
blunder bulder
bluster gouster, gulder
boards *(of book)* brods
boat far
bobbin pirm
bog dub
bog-cotton lucky minnie's oo
bogey boky
bogged mire-laid
boisterous uploppm
boll *(of meal)* bowe
bolt snib
boot böt
booth böd
booty proil
bore daamish
boredom langer
bosom bosie, skurt
boss tapster
both baid
bother fash
bottom boddam
boulder hulter, hurd
bound spang
boundary hagmark, mairch

boundary mark mairch-stane
bow *(of boat)* boo
bowl cappie
bow-rope börep
boyfriend laad
brace paal
braces strops
bradawl brogue
brains harns
brand coll, taand
brat oolit, smatshit
braxie vinster
brazen browdened
breach bröd, slap
break brack
breaking *(of the sea)* bretsh
breaking of waves faksin
breathless bursen, gaa-bursen
breed kind
breeze laar, pirr, stoor
Bressay *(nickname)* shark
brew *(of tea)* browst
bridge brig
bristle birse
broody clockin
brother bridder, sutshkin
brothers breider
brown moorit
bruise blue-melt
bruised stenloopen
bubble blibe
bucket daffik, pell
budge jee
build bigg
bulky grit, muckle, whaanious
bullock stirk, stot, strick
bumble-bee drummie-bee
bunion byokkle
buoy bowe
buoy-rope börep
burned brunt, colcoomed

Burra Isle (*nickname*) liver-muggie
burst spret
bury yird
busy trang

butt bult
buttermilk bleddick, druttel, gyola
butter-tub kit
by wi

C

cabbage heart kale-stock
cabbage stem kale-runt
cackle claag
caddy-lamb aalie-lamb
cake hufsi
calf (*of the leg*) bran
call cry
cannot canna
cantankerous crabbit, ill-willied, pernickety
cap rinker, toorie
capable fierdy
capsize coup, cummel
carcase crang
caress kyoder
cartilage bröski
cast (*lines*) shut
cast off (*clothes*) tird
castrate lib
catch (*of fish*) hail
catfish stenbiter
cattle baess, kye
caulk taave
cautiously peerie wyes
cave helyer
cease linn
celebrate hadd
celebration foy, fyana (*small*), hamefir, rant
chafed hummelled
chain (*for pot*) link
chair shair
chamber-pot shanty

change (*of direction*) vaarie
chaos hirda
character caution, cramper
chase cösh, hund, shaste
chat news
chatter bledder, haver, lay aff, sheeks, yap, yatter
chatter-box sheeks
cheat rook, swick
cheek-by-jowl sheek-for-showe
cheerful croose, lichtsome
chest kist
chew showe
chickenpox nirls
chickweed arvi, shickenwirt
child ting
chimney lum, shimley
chimney-head craahead
chin shin
choke shock
chop shap
chop (*in sea*) jap
chopped hackit
Christmas Yöl
church-goers kirk-folk
churn kirn
clam smisleen
clamour klurmose, kollyshang, yallicrack
clasp nyep
clatter rinks
claw cloor, cram
claws crammicks

clean dicht
clear ripe, scoom, scunge
cliffs banks
clockwise sungaets
clod bungle
clog clag
close stengle
closed *(of the eyes)* blinndit, steekit
cloth cloot
clothing bads
cloud pattern wadderhead
clove clowe
clover smora
clumsy clushit, haandless, vyndless
coagulate sturken
coalfish sillock, piltock, saed
coating skröf
cobweb moose-wub
coil hank, wip
coir kiarr
cold atteri
colic booel-cramp
collapse faa by, raab, rummel, run
collided took up
coltsfoot tuslag
comb kame, redd, redder
comedown dooncome
come apart mak wye
comfort kyucker
coming incomin
commotion onkerry, reel, splore, stramash, styooch, upsteer
compel gaase
compete kyemp
complain girn, irp, kron, nyirg
complaining pleepset
confined crubbit
confuse mar
confused *(mentally)* doitin
conger *(eel)* sleeky
considerable gey

considerably braaly
consume punish
container böst, kit
continually end on
copulate brind *(in animals)*, tread *(in birds)*
cormorant loren, scarf
cormorant *(great)* brongie
corner (n) hirnik, nyook
corner (v) crugset
corn spurrey meldie
corpse corp
corpulent bagget
couch grass quigga
cough crim, host
counted kyaandit
coup de grace reddin straik
cover hap
covering *(light)* fim, skröf
cow coo *(pl. kye)*
cowardly skreebie
cowrie shell grottie buckie
cracked scordet
crawl arl, harl, oag
creak neester, snyirk
cream raem
crease lirk
creature craeter
creek gyo
crockery lem
cropped snoiltet, snug, stooed
cross-beam langband
cross-grained anyatwart, twarter
crouch croog, hoorkle
crow *(hooded)* craa
crowbar pinch
crowd baand, slundy
crowfoot craatae
crown *(of head)* quarrl
crumble mulder
crunch crump
crush brootsh, bruck, bruckle

crutch heck
cry greet, oob, sprech
cry *(bird)* claag, pleep
cultivate brak oot, laaber
Cunningsburgh *(nickname)* north
— yak; south — turk
cupboard press
curdle lapper, yirn
curds kirn-mylk

curlded run
curlew whaap
currant curn
current rip, string
curse mellishon
cut *(of grass)* risk
cut *(of hair)* stoo
cuttlefish skeetik

D

daisy kokkiloorie
dale daal
damn dwine, tweetishee
damp weety
dance (v) link; (n) rant
dandelion eksis girse
dark mirk
darling hinny, yarta
daughter dochter
dawn dim riv, rivin o da dim
deafen daev
dealings curry-raag
dear currie ting, jewel, joy
death cry elska cry
death-throe dead-traa
decay murken
decayed faan apon
deceit jookerie-pokerie, manyugilti
decent kirsin, onlookin
decoration variorum
defile aggle, elt, guggle, muckify
deformed croppened
delinquent ill-döer
Delting *(nickname)* sparrel
deluge uplowsin
delve dell, mud

dense steekit
dent benkel
depressed doon apon it, dumpised
depressing weary
destitute wanless
destitute (n) poor
detain apper
detestable person pooshin, venom
devil mellishon, soaroo
diarrhoea scoor, skitter
diarrhoea *(in sheep)* greenbowe
dibble dipplin-tree
die blöv
difference odds
difficulty straff, trysht
dig cast, dell, hock
diligence leid
dip demmel, dibe, dook
direction ert
dirty clerty, clestered, eltit,
guggled, muckified, pickit,
uggled
disagreeable ill-vaandit
disappointment begunk, bluntie
discourse lay aff
disgrace tash
dish löm

dishevelled tagset, tooskit
dishonest unhonest
dislike scunner
dispute argie-bargie, cuttanoy, collyshang
disreputable person tö-tak
disreputable woman trooker
dissuade affroad
distance piece
distressed pitten aboot
disturbance cuttanoy, onkerry, wark
ditch stank
diver *(great northern)* emmer gös
diver *(red-throated)* rain gös
do dö
dock *(plant)* docken
dog hund
dogfish hoe
dogrose klonger
doll dukkie
dominate ooster
domineer *(in speech)* ooster
Doon-o-Waas *(nickname)* dirt
double twaafald
downpour doontöm, tömald, vaanloop
doze dover, faa aff, neeb
drain golgriv, runnick
draw *(on or off)* smook
dreary dreich
dredge draig
dregs grunds, lett
dress busk, penk, pit apon, rig
dried gizzened, reestit
drift (n) faan
drift (v) bear
drink swash

drip dreep, raep
drive caa, caav *(of snow)*, dreel, scunge
drivel röd
drizzle dag, grop, raag, shug, skub
droll person caution
drop aer, coarn, fismal, kennin, krummick, lett, oomik, puckle, skaar, sipe, tip
drought drocht, sook
drown smore
drudge pyaag
drudgery dadderi, shask, varg
drunk foo, mortal, paloovious, poopin, stimin, swittlin
drunkard drooth
dry sook
dry *(mutton)* reest
duck (n) deuk
duck (v) dook
duck *(long-tailed)* calloo
dung *(cow)* sharn
dung *(sheep)* pirl
dunlin ebbsleeper
Dunrossness *(nickname)* bannock
during aboot
dusk dayset, darkenin, dim, hard darkenin, hömin, mirknin
dust stoor, styooch
dust-cart essie-kert
dwarf nonie
dwell bide
dwelling biggin
dwindle dwine
dyke daek

E

eager aaber
eagerness aet
ear lug
ear mark *(in sheep)* vass
earth aert, möld
earwig forkietail, spurrytail
easily gödably
east of be-aest
eastward ta da aestard
eat aet, scaff
ebb-tide gremster
economise hain, raad, skeek
edge *(shore-line)* brug
eerie oorie
effort tweet
egg *(very small)* craa's tread
eider duck dunter
either edder
elated up in his cuddy, uplifted
elbow elbuck
elver saandy eel
embers emmers, taands
empty töm
endure akkadör, dree
energetic boocin, swack, yasp
enjoyment funs
enormous undömious, whaanious
enough anyoch
entangle buckle
enter darken
entertain hadd oot o langer

entertainment jorum
entice lukk, tize
entire hale-an-hadden
epidemic feerie
equal morro
erysipelas rose
everyone aabody
everything aa
ewe anyister, yowe
excellent parkeeklar
excessive overly
exchange cose, troke
excited baak high, liftit
excitable ower-end, raised, starty, uploppm
excitement flickament, steer, stramash, tird
excrement cockies
exhausted debaetless, disjaskit, forfochen, hurless, moyenless, ootmaagit, pooskered, pyaagit, vyalskit, wabbit
exhaustion doon-drappin
expect doot, lippen
exposed prood
extinguish blink
extinguished coll-slock
extremely horrid, odious
eye *(in shoe)* pie-holl
eyelash ee-breer, ee-whaarm
eyes een

F

fade dwine
faint blöv, dwaam
fairly braaly
fairy trowe
fall faa, keel ower, snapper, tirl

fall asleep faa ower
fallow ley
false faase
famish fant
fancy notion

far off fram
farrow forro
fastening tyal
fastidious feeky
fat gree, spik
fate weird
father daa, faider
fathom faddom
fatigue backbrack
fault-finding camshious, per-
nickety
fawn fyaarm
fear dreed
feast booel-rivin, foy
feather pen
fed up scunnered
feeble lemskit, little wirt, pör
aamos, silly, vyalskit
feel fin
fellow billie, sheeld, sheelder
felted bizzie-wappit
female lass
fencing-post stab
fern trow's caerd
ferry set ower
fester bell
Fetlar (nickname) russie foal
fever feerie
few twartree
fiddle-tune skyinbow
fidget fidge, widge
field rig, toon, toonmals
fierce siccar
fight fecht, töllie
fill demmel
find faa apon, fin
fire bass, roose
first foremist
fishing-line skoag, toam, tows
fishing-rod waand
fissure rivvick, scord

fist nev
fisticuffs haandigrips
fit swack
flake fliss
flame lowe
flap flaag
flash flaacht
flashlamp blinkie
flat calm plat calm, raem calm
flatten flatsh, swirten
flatter fyaarm
flea flech
flick wheef
flicker blatter
flighty himst
fling swap
flit hint
flounce whenk
flounder bassel, bummel, reesel
flurry (of snow) feevil
foam gub, löragub, scoom
fog stumba
fold flipe
food maet
food (for journey) faerdie-maet
fool dwaam, föl, gock, gomeril,
möniment
footpath briggistanes, gaet, strodie
footstep fitstramp
footwear feet
forbidding affbidden
force gaase
forgetful mindless
forgive forgie
forgot firyat
fork tarry krook
formerly danadays
foundation steid
foxglove trowie girse
fracture brack

fragile bruckly
fragments akker, bruck, coom, drush, mummy, murr, shalmillens, skroil, soe
frail lemsket, moyenless, pör aamos
freckle fairntickle
fresh *(of milk)* sweet
friable bruckly
friendly cosh
fright fleg, gluff
frighten fleg
frolic rinks
frolicing playin da kyittems
from fae, frae

front foreside
front *(of boat)* forrard
frost *(severe)* bon-frost
froth barm, froad, gub, skoom
frothing barmin, froadin
frown snurl
fuel fire
full foo, lipperin, stuggit
fulmar maalie
fun filska, foally, maddrim
furrow furr
fuss tarrow
fuss over fain
fussy feeky

G

gable gavel
gaff clip, huggistaff, ricker
gained coft
gaiters sukkalegs
gale gouster, vaelensi
gall gaa
gander genner
gannet solan
garment plag, townet
garments bads, plags
garrulous sheeksy
garter gertan
gasp fetch
gate grind
gather hent
gather *(stones)* rudge
gathering gadderie
gaze gaan
generous frugal
gentry jantry
giant ark, eever, gogar
giddy headlight
gift aamos, gyurd, hansel, kyoab

girl tittle
girth-rope gointek
give gie
gizzard gözren
glad blyde
gladness blydeness
gland clyer, yittel
glare rain
glazed glerlit
glean hent
gleanings hentins
gleam glim, glink
glimmer glöd, gloor, taas
glimpse glisk
gloaming darkening, dayset, dim, hömin, mirknin
glow blinnd, glöd
gnaw shaav
go geng, win
go under neeve
God Dear Wan, Faader, Göd, da Göd Man, Him at's Abön

good göd
Good Heavens! Dat in feth! Göd be aboot dee!
goose gös
gosling gaeslin
gossip clash, gaep, news, spaeka-lation
go warily caa canny
grab mitten, yark, yock
grand braa
grandfather Aald Daa
grandmother Minnie
grasp mitten, yock
grass girse, green paek
grassy girsy
gravel shurg
graveyard helli-möld
gravy brö
grease creesh
great blackbacked gull swaabie
great northern diver emmer gös

grey mooskit, shaela
grid-iron brand-iron
grief döl
grimace girn, sham
grimy-faced griemet, gurmullit
grope grovvel, scrovvel, trivvel
group (derogatory) baand
grown come awa
grumble girn, irp, nyirg
grunt groint
guess waarn
guffaw gaff, gulder
guillemot longie, tystie
guizer skekler
gullet hass, wizzen
gulp clunk, glaep, glunsh, whilk
gurgle cruttle
gurgling (of water) bulder
gurnard crooner
gust flan, goosel

H

hailstone haily-puckle
hair birse
hair (tufts on face) feetiks
hairy birsy
halfways halfgaets
halter branks, greemik
hamper happer
handful gyoppm, nevfoo
handkerchief sneet-cloot
handle bool, heft
handline dorro
happy canty
harass hatter
harassed doggit, hattered
hardened harned
hardworking eident

harelip kirk-mark
harm faat
harness (of peat-pony) bend
harry tag-set
harsh ill, harsk
harvest (n) hairst
harvest (v) hird
hasten twasper
hateful condwined
haul hail, reeve
haunch hench
have a, hae
hawk crex
hawker packie
haycock cole

119

haystack dess
haze ask
head pow
headfirst fore ower
headland bard, mool, ness, noup
headlong headlins
head-rope *(in fishing lines)* baak
headstrong ramstam
healthy maet-hale
heap bing, brook, coose, lurgit,
    roog, rönnie, steepel
heartburn brunt rift, hertscad,
    watertraa
hearth hert-stane
heather-bush hedderkowe
heather turf flaa
heath rush burra
heaven da göd place
heavy *(showers)* slashy
heed ant, leet, vaar
heifer quaig
held höld
hermaphrodite songie
heron hegri
herring trough farlin
herself hersel
heyday tamto
hiccups hicksie
hide hiddle, hoid, höd
hide-and-seek skuttamilla-skroo
hiding-place hirnek, hoidy-holl
highly strung raised
high-spirited filsket
highwater mark shoormal
hill byurg
hillock knowe
hindmost hidmost
hinge-pin sharl-pin
hoard poase
hocks *(of cattle)* affcuttins
hoe howe
hogweed kecksie

hoist hunkse
hold hadd
hollow (n) denky, slacky
hollow (v) hull, shill
home bonhoga, hame
home-coming hamefir
homely hamely, hame-aboot
homewards hame-trowe
hoof cliv
hook cleek, rick
hook *(for pot)* crook
hoop gird
hop henk
hopeless wanless
horse röl, staig
horse-fly clegsie
horse mussel yoag
hotfoot blödspring
hot-water-bottle pig
hound (v) hund, tag-set
hour oor
house biggin, haa, hoose
hover laav
how foo
however hoosumever
howl yowl
hubbub kabbie-labbie, kattikloo,
    kollyshang, yallicrack
huddle crug
huff frimse
huge object ark, eever
hum nön, noodel
humiliation doontak
humour cant, lay
hump cröl
hunger fantation
hungry fantin, hocken
hurry (v) haste dee, pin
hurry (n) pin, scad, scrit
husk sid
hussy limmer, lipper, trooker
hysterics crying at da hert

I

idiot dereeshion, nyaaf
idleness idle-sit
illness feerie
ill-luck ill sunse
ill-washed gurblottit
impound pund
impoverished depooperit
impress deer
improve runk
in i
incite igg, irg, set up
incomer soothmoother
inconvenient unhaandy
increase tak up
indigo blue-litt
indolent döless
industrious eident
infect smit
infirm creeksit, pör aamos
information witteens
infuse draa, mask
injure mashieve, mirackle
injury faat

inlet voe
inside *(of house)* inbi
insist traep
instep whirk
instep *(shoe)* yarken
intercept kep
interval *(in weather)* runk, slud
intestines faa, sparrel
invalid bedral, poor
invert cummel
iota hair, eetimtation, peel
iris *(flower)* seg, seggy-flooer
iron yatlen
irritable crabbit, ill-naitered, ill-willied
islet holm
it hit
itch yuck
itchy yucky
its hits
itself hitsel

J

jam jeely
jam-jar jeely-jar
jaundice gulsa
jaunt reenkie
jaws shocks
jersey gansey
jew's harp trump

joint lith, tivlig
jollification foy, spree
jolly glafterit
jolt reesel, yark
journey gaet, stramp, vaege
jump bool, loup

K

keel-strap keel-dracht
keen aaber
ketchup keetchin

kick pook
kidney neer
kink snurl

121

kiss smooriken
kitten kettlin
kittiwake weeg
knead nyivvel
knife tully
knitting sock

knitting needles makkin-wires, wires
knob nibbie
knock bong, caa
know ken
know-all sclaterscrae
known kent

L

laborious work tweet
labour lay at, strug, tird, trachle, varg
lagoon houb
lament mak maen, tak on
lamp colly
landmark meeid
lane closs, strodie
lanky trentlet
lap lapper, lep
large grit, muckle, whaanious
large person ark, fadmal, lump, rafter, roog, sowdian
lasting quality oot-tack
latch sneck
lather gub
laugh gaff, laach, skirl, sneester
laughed leuch
lave beek
laziness sweerta
lazy langsome
lean-to tö-faa
learning lear
leather bain
leave lave
leg (of mutton) tee
legs trams
len loan
leprous spilt
Lerwick (nickname) whiting

let off slip
liberal frugal
lidded broddit
life (sign of) pyaa
lift hunkse
lightning hairst-blinks
likeable fainly
limp henk, hirple
line towe
ling olick
listen lö
litter (of animals) laachter
litter (of straw) bizzie
little aer, coarn, coom, grain, oomik, ormal, sap, skaar
livelong leelang
lively yasp
living tae da fore
load back-burden, fraacht
loch shun
loft laem
loitering hanvaegin
lonely backaboot
lonesome laenerly
long lang, trentlet
long (v) tink lang, virmish
long-tailed duck calloo
look skoit

loosen lowse
lost cassen awa, tint, wilt
lot dose, footh, hantle, hush, immense, lok, pooer
louse gogie, gunnie
love (v) elsk
loveable currie

low laich
low (v) (as cow) nyoag
lull baa, dachen, dill
lump ark, bummer, dad, roilt, wheefer, yark
Lunnasting (nickname) hoe
lurid glowerit
lust rimska

M

maggot maed
make mak
mallard stock dyook
mallet maal
manage can
manner cast
mantlepiece brace
manx shearwater leerie
march stramp
mark mett, scam
marrow-bone merky-bane
marsh marigold blugga
marsh trefoil gulsa girse
marvel strange
marvellous winderfil
mask faase-face
masquerade guize
masquerader guizer
mass (quantity) boady, frush, handle
match maik, morro
matter signify
meadow pipit teetik
meadowsweet yöl girse
meal bursten
meal-chest girnal
mean naaber, nearbegyaan
meander wengle
meat flesh
medicine pheesic, screecham
mend (crockery) keeng

meeting sheeks-rivin
mention brack up
merganser herald dyook
mess aggle, clag, clashmelt, clatch, clester, elt, glaar, guggle, murg, purt, slester, slutter, soss, uggle
middle hert-holl
middling noo-an-say
midge mudjick
Mid-Waas (nickname) jantry
midwife howdie
milk (v) tip
milt sill
mimic scoarn
mire dub, joob, swarlik
mischievous ill-tricket
mishap misanter
mist ask, barber, daalamist, dag, raag, stumba, steekit stumba
mite moot
moan maen, nyoag, oob
mob slundy
moderate (weather) dörkable
modicum mention
moment blink, start
money penga
mood key, lay, löd
moon mön
mooring-rope fasti

mope ool
more better
morose inbiggit
morsel mooth, mooth-liftin
moth moch
mother mam, midder
mottled marlet
mould kaam
mouldy blue-finsket, blue-niled,
    hairy-mooldet, murkened
mound brug, toog
mouth gab, sheeks
mouthful sheeksfoo
move flit

moving quickly feespin, shiftin
muscus gurr, snurt
muddy grumly
mugwort bulwand
mumps branks
murmur hush, imper
murmuring lödi-gröd
mussel yoag
mussel-bed skaap
must böst, man
must not manna
mutter tröttel
muzzle mool-baand

N

nag nyarg, nyitter, pirg, sharg,
    yaag, yarg
nail garron, sem
name caa
napkin grethy-cloot, hippen,
    nyepkin
narrow crubbit, smaa
nearby near-haand
neat trig
neck craig
neigh nicker
neither nedder
nephew oy
nestling burd
nevertheless still an on
news uncans
New Year's Day Newerday
next neist
nickname tö-name
nightfall darkenin, dayset, dim,
    hömin
nightmare mara

nimble nyiff, yasp
nipple nooky, paap
no nae
nod neeb
none nane
nonsense bruck, dirt, oorik
northwards nordert
northerly norderly
Northmavine (nickname) oily
    muggie
not no
noted taek til
notch sneck
notice seem, vaar
notorious taen till
nourishment dreach
now eenoo, noo
nudge nug
numb doven
nurse lap-a-midder

124

O

oar aer
oatgrass okrabung
oatmeal aetmell
oats aets
obedient biddable
obey anse, ant, ent
obnoxious inbiggit, traawirt
occasional antrin
occasionally at da aidge o a time
occur faa afore
odd-looking ösmal
oddments hentilagets, triv, truss
odour waff
of o, wi
off aff
offer applös
off-putting affbidden
often aft, aften
old aald, auld, owld
old-fashioned backaboot
omit hip
once eence
one ean, wan; the one tane

only bit
onset uptak
oppose twartle
opposite firnenst
orchis curl-dodie
other idder; the other tidder
otter dratsi
our wir
ours wirs
ourselves wirsels
outdoors furt
outfit strood
out towards öbdee
over owre
overall slug
overflowing lipperin owre
overwhelm scomfish
overworked trachled
owned aacht
oyster-catcher shalder
ox stot
oxen owsen

P

pack pin
pack saddle klibber
paddle plootsh
pain stang
painful sair
pains *(muscular)* benwark, creeks,
    hansper, spaigie
palm löf
pane peen
pang reir
pan-scrapings scobbins
pant pech, stunk
Papa Stour *(nickname)* scories

parboil leep
parhelion gaa
part cut
particle mott, nirt, ormal
partition catwaa
party foy, hamefir
passage transe, trinky
pasture *(outlying)* ootbaits
patchy pellet
path gaet, strodie
pause hadd sae, salist
peat *(hard)* blue clod
peat *(mossy)* skyumpik

peat *(rough)* bluster
peat *(soft)* duff
peel flipe, fliss
peep teet
peer coag, glinder, keek, skrime, skile, stime
peevish girny, freksit, nyirgy, raamished
pen *(geese)* skyaag
pencil calafine
penis pillie, pintle
penny stör
people fock
perch baak
period track
persist hadd at
persistent onstaandin
person bein, body, craetir
perverse anyatwart, traan, traawirt, widderwis
phosphorescence mareel
pick pylk
Pict Pecht
pig gaat, grice, soo
pigeon doo
pillow booster
pimple boolik, plook
pin preen
pinafore peenie
pinch *(measure)* krummick
pine virmish, winnish
pipe *(drainage)* stroint
pipe *(tobacco)* cutty
pipe-stem stapple
pittance inhad
plant (v) set
plantain waaverin laef
plate trunsher
plead prig
pleasant hellisom, lichtsome
plod platsh
plover plivver

pluck *(wool)* roo
plug *(in boat)* nile
plug (v) taave
plunder raase, roan
pocket pooch
pocket-knife joktaleg
poke poosk, proag, purl, ripe
polled koillet, snoiltet
polysyllabic lang-nebbit
poor ill-aff, pör
porch tö-faa
porpoise neesick
porridge gruel
porridge-stick gruel-tree
possession *(valued)* aacht
potato tattie
potato-leaf sho
potatoes *(small)* grice mites
potatoes *(mashed)* shappit tatties
potato-masher shappin-tree
pot-scrapings scobbins
pour owse, töm, yatt
poverty pörta
powerless crachtless, machtless
praise rös
prank moy-foy, plunky, prettikin
predict spo
pregnant gyaan ta cry
premonition foregeng
pretence makkadö, pit on, whaasay
prim pernyim, perskeet
primrose mayflooer
problem trysht
proceed tak at
procession klivgeng
produce mak
prop shoard
prophesy spo
prostrate gröflins
provisions errands

provoke igg, irg, set up
puff *(of wind)* bat
puffin tammie norie
pull draa, laag, poo
pulp soolp
pummel boofel
punch doose, knoilt, lick, wap
punishment pexins
pupil sköl-bairn

pupil *(eye)* baa
puppy whalp
purge scoor
purlin langbaand
purring *(of cat)* grindin
pus wirsom
push ding, hurl, shiv
puzzle paal

Q

quagmire aert-bile
quantity boady, hantle, sap
quarrel argie-bargie, barny,
    cangle, töllie
quench slock

question whiss
quick-witted glig
quilt twilt
quiver mirl, vimmer

R

rabbit kyunnen
rafters couples
rag rint
rage birr
ragged pellet
raging rampin
rags pells
ragwort gowan
rain doontöm, drush, shug, slurd
rainy weety
ramble *(in speaking)* haver, raem
range raik, vaege
rapport kurry-raag
rasp risp
rather kinda, braaly
rattle rinks
raven corbie
ravine gyill
razorbill sea craa

razor clam spoot
reach reck
ready clair
reap maa
reasonable *(weather)* dörkable
rebuke slundy
recite tell
recollection mindin
recovering life-tinkin
red-throated diver raingös
reel pirm
reel-tune skyinbow
refuse bruck
reject tarrow
rejects ootwaelins
related sib
relationship kin
relatives blöd-freends, sib
release slip

relief spell
relieve spell
remainder brucks, ootwaelins, shakkins o da böddie
remember mind
remorseless haagless
remote backaboot
rent scrit, sklent
resemblance laekly
resemble tak efter
resin roset
respectable onlookin
responsibility uptak
resting-place *(for animals)* böl
result efterklaps
retch byok
reveal lat on, leet
revive kyucker
revolting stiggisom, vyld
rheumatism rheumatics
rhythm runk
rib *(in boat)* baand
ribwort Johnsmas flooer
rickety cuggly
riddle guddick
ride hurl
ridge kame, riggin, rissie
ringed plover saandiloo
rinse rensh, synd
rip spret
ripple geel
rivet clink

roam raik, traik
robust bördly
rock baa, berg, craig, klett, hellik, skerry, stack
rock (v) cuggle
rock-pipit tang-sparrow
roe raan
rogue oolit, pooshin, smatshit, venom
roll rowe, rowl
rollick rant, rinks
roof röf
roots taas
rope *(straw)* simmond
rope *(for cow)* baand
rough coorse, groff
rove raik
row argie-bargie, barny, cangle, töllie
row *(boat)* aandoo
rowdy upstropalous, ower-steer, ramstam
rubbish bruck, truss
ruin akker
rummage hunse, ransel, reesel, rumse
run pin, rin, skelp, sprit, spunder, styooch
runrig rig-aboot, rig-a-rendal
rush bang, breenge
rushes floss
rustle skruffle

S

saddle klibber
saithe saed
salt saat
salt-container saat-cuddie
same *(all the)* case alaek
sand flea sea-flech

Sandness *(nickname)* burstin brönnies
sarcasm afftak, skyimp
satisfying drink slockenin
saturate sab, sirp
saunter aandoo, daander, drittle

savouring keetchin
scald scad
scant crimp
scarf gravit
scarf-joint skaer
scatter scoom, scunge, skail
scold flite
scone bröni, kröl
scorch scooder
score scord
scoundrel lipper, pooshin, reebald, scunner, tö-tak, venom
scowl skoolm
scrape nyirl, scrit
scratch cloor, cram, skart
screetch skröl
scurf luss
scythe sye
sea campion buggi flooer
sea-foam löragub
seagull maa, skorie
sea-pink banks flooer
sea-pool vaddel
sea-scorpion plucker
sea-surge lönabrak
sea-urchin skaadman's head
seaweed dilse, droo, drooie-lines, hinnywar, lucky-lines, tang, waar
seaworth sea-ferdy
search ransel
seat *(in boat)* taft
seat *(in house)* restin-shair
secure tak aboot, yarfast
sediment gröt
see-saw hedder-kin-dunk
seething barmin
select wael
sell roop
sensation kirr-mirrin
sensitive feelin-herted
septic bellin

sequel efterklaps
set *(eyes)* clap
several twartree
severe sair
sew shew
shabby duddered, dumbet
shafts trams
shake blatter, reesel, shiggle, wig
shaky shiggly, wiggly
shall sal
shall not sanna
shallow shaald
share wak
sharp gleg
shawl hap
she shö
shear shair
sheepfold crö
sheep-tick ked
sheep-track sheep-gaet
shell skurm
shelter skyug
shift jee
shimmer mirl, vimmer
shine sheen
shining glansin
shirt sark
shiver stirn
shoe *(mocassin)* rivlin
shoe lorin shön
shoes shön
shoots breer
short-haired snug-ooed
shoulder shooder
shoulder-blade hyocklebane
shout gouster, hooch, rout
shower doontöm, dwarg, plump, speet
shrink kling, geng in
shrouds stroods
shrug hunkle**

shut steek
shy blate
sickle hyook
sickly öliklörum, neebit, skyoamit
sideways sidelins, sideywyes
sieve syer
sigh soch
silence clumpse, hooter
simpleton dereeshion, föl, gock, snöl
since fae, sin
sinew sinnen
singe swee
singing sheerlin
singlet joopie
sinker (fishing line) cappie
sister sutshkin
sit dip
skein hesp
Skerries (nickname) ling
skiff whillie
skill can, cast, vynd
skim skeet
skin (v) buggiflay
skirts cotts
skua bonxie, scootie alan
skull harnpan, skult
sky lift
slake slock
slander (n) ill-spaekin
slander (v) miscaa
slattern sloo
slave (v) gurm
sleepless waakrife
slice sheave
slim smaa
slime sloob, sly
slink hint, smoot
slipper pantan, smuck
slobber slepse
slovenly slushet

sluggish döless, dulsket
sly sleekit, sloomit
smack pay
small minkie, mootie, peerie
smart prunk
smell fyunk, guff, vaam, waageng, waff
smirk smeeg
smithereens coom, hirda, ötna, shalmillens
smock smooky
smoke (n) reek, styooch
smoke (v) rook
smoke-dried reestit
smoky reeky
smoor rest
smooth slicht
snack lö-cup
snail-shell trowie-buckie
snap yark
snarl girn
snatch click
sneeze neeze
sniff snush
snipe horse-gok, snippek
snout tröni
snow (v) moor, neeb
snow-bunting snaaie-fool
snowdrift fann
snowfall doonlay, onlay
snowflake fluckra
snowstorm blind-moorie, moorie, mell-moorie
soak drook, drookle, sab
soaking drookin, sabbin, sirpin
soapstone kleeber
sock (short) fitty
soft fozie
soil aggle, clert, clester, elt, guggle, uggle, varg
somersault headicraa

song sang, veesik
soot ime
sorely sair
sorrel soorik
sorrowful wae
sorry vexed
so so siclaek
sound fierdy
sour sharp, shilpet
sow saa
spark neest, spunk
sparkling glansin
speckled spricklit
speed lick, pin, styooch
spell greest, vaam
spinal cord möni
spine rig
spinning-top tottim
splash japple, swinkle, swittle
splendid braa, clinkin
splint spyolk
splutter frush
spoil proil
spot blett
spotted (sheep) blaeget, sponget
spotted (cattle) fleckit, sponget
spotted (pig) drintled
spout sproot, stroint, stroop
sprain wrest
spray (n) brennastyooch, saat-
brack, spindrift
spread kline
spring (season) voar
spring (seed) breer
spring tide strem
squall flan
squeak peester
squeal reein
squeeze birze, nyivvel, pram, trist
squelch julk
squint gly, skaev, skew-wheef,
skyefset

squint-eyed glyed
squirt skeet, speer
stagger swaander
stalk stylk
stall bizzie
stallion russie
stamina stimna
stammer mant
stamp dart
star starn
stare glower, stoor
stave (barrel) scowe
stench fyunk, guff, vaam, waff,
waageng
step stramp
stickleback banstickle
stiffen stivven
still better
stile stiggy
sting swee
stir kittle up, steer
stirk strick
stoat whitrat
stocking gaiters sukkalegs
stomach hert, mogie
stomach glands clyers
stone sten, steen, ston
stonewort gaa-girse
stool creepie, stöl
stop lie, whet, white
storm petrel alamootie
stormy spell ree
story hearin
strain sye
strainer syer
strange uncan
stranger uncan man, uncan wife
strapping fellow roosk
straw (n) bait, strae
straw (adj) straen
straw (bundle) windlin

stray will
streak reeb
stream stripe
street-cleaner scaffie
strength stimna
stretch reks, slag, stent
stride stend, stramp
strike beetle, ding, doose, fell, scrit, skelp, swap
striped ringlit
strive kyemp, set on
stroke (of oar) vill, warp
strong bördly, swack
struggle baffel, bassel, traachle, warsel
strut tip, whenk
stubborn traan, traawirt, unbiddable
studies scöl-wark
stuff taav
stumble snapper
stun sove
stuntet ill-trivven, wantrivven
such datn, sic, siccan

suddenly in a stowen dunt
suds blots
sufficient (to be) sair
suffocate scomfish, smore
suit strood
sulk dort
sulks dorts
sulky dorty, trumsket
sunder sinder
superstition vaerdi
surf bretsh, laebrack, lönabrack
surface skröf
surprise admire
suspect dreed, jalouse
swallow kwilk
swarm mird, screed, slundy
swathe swaar
swelling hivvet
swiftly blödspring
swig toot
swim soom
swing sweel
switch snick
swivel swill

T

tag (game) picky
tainted cassen
taken aback taen aff
tall person rafter
talking-point clash, spaekalation
tangle buckle, clewball, paes-wisp, reffel
tap pick
task onn
taste (n) waageng
taste (v) lip, preeve
tasteless föshionless
tasteless morsel possack

tatter rint, rintypell
teapot stroopie
tear rive, scrit, sklent
tear-stained begrutten
tease tak aff
technique vynd
tedious teddisome
tell-tale clashpie, clipe
temper tirse
tense raised
tepid loo, loobit
testicles nackers
than as

132

that at, dat
thatch taek
thatched taekit
thaw towe, uplowsin, upslaag
the da
the homeless ootliers
their der
theirs ders
them dem
themselves demsels
then be dat, dan
there dere
they dey
thick steekit
thigh hoch, tee
this dis
thole-pin kabe
thought tocht
thrash beetle, laaber, ledder, lunder, tresh
threshold göt, treshel-tree
throat craig, hass, wizzen
throb tift
through trowe
throw baal, fire, heave, hit, tird, wap
thud bong, boof, doose
thumb toom
tickle kittle
tidemark shoormal
tide-race roost
tidy redd up, trig
tie (n) tyal
tie (v) drang
tie-beam twartbaak
tight crimp, nippet, stret
tilt heeld
timid blate, skreebie
Tingwall *(nickname)* bleddick spoot
tinkle rinkle
tiny minkie, mootie, peerie
titivate penk

to ta, tae, til
tobacco bacha
toffee gundy
toggles snyivveries
toil strug, trachle
tomorrow da moarn
tone-deaf timmer
tongs tengs
tongue *(of land)* taing
too tö
toot too
tooth bittel, yackle
top heicht
top-heavy tap-swaar
torch blinkie, plinkie
touchy himst
tough tyoch
tousle tooder
tousled toodered, tooskit
toy laalie, lödi-pipe
track sheep's gaet
trader yaager
trait strynd
tramp troag
trample truck
treatment guideship
tremble pipper, vimmer
trench trinky
trial trysht
trickery manyugilti, jookerie-packerie
tricky clooky
trifle bee-bo, kennin, wanwirt
trouble straff, trysht
trousers breeks
trowel trooen
trudge buks, studge
trundle hurl
tub kit, toosk
tuft tiv, toosk
tug nyig, twig, yark

tune skyinbow
turf fael, flaa, poan
turf-dyke faelly-daek
turn coup, cummel, tirl
turn *(of tide)* browst, snaar
turnip neap
turn-up flipe

twilight darkenin, dayset, dim, hömin, simmer dim
twinkle plink
twins yammalds
twist snöd, traa, wengle
twisted croppened, traan
twite lintie
two twa

U

ugly ill-faared, ill-laek
unaware unawaars
unbalanced cuggly
unclean unkirsen
unconscious asoond
under anunder
underclothes inside claes, swaara
underlip da sleb
under-nourished ill-trivven, pör aamos, wantrivven
understand twig
undertaking ontak, rexter *(a difficult undertaking)*
uneven ruckly
unexpectedly in a stown dunt
unfair ill-pairtet
ungainly clushit, wenglit
ungainly person hoilter
unless aless
unlucky ill-luckit
unmusical timmer

unoccupied vod
unpleasant harsk
unpredictable anyatwart
unrest hiss-hass, wanrest
unserved oonsaired
Unst *(nickname)* midden sloos
unsteady cuggly, fitless, wiggly
untidiness hirda
untidy kyufset, tagset, trusset
until fir
untwist faize
unwell badly
unwilling laith
uproar hooro, hubbelskyoo, ulination
upset (adj) pitten aboot
upset (v) tantle
urine greth, pish
us wiz
use ös
usual öswil
utter imper
uvula paap

V

valance paand
valley daal
vernal squill grice ingan
vertebra lith, tivlig

very aafil, gödless, horrid
vessel *(wooden)* cog
vigour pooster
vile vyld

violin gue

virility pooster

vituperation sinknation, slundy

vivid veev
volubility afflay
vomit (n) spewins
voyage vaege

W

wag wig
waistband breekbaand
wait had aff
walk daander, geng, staag, stend,
  stramp, traivel
walk *(noisily)* clump
wall waa
wallop dad, lick, wap
wander bulwaaver, daander,
  drittel, raag, staag, stravaig,
  traipse, vaege
wane wan
wash scoor, swill, synd
washer röv
Wast Waas *(nickname)* settleens
water *(for washing)* blot
water-horse nyuggel
way gaet, lent, tracks, wye
weakness maegerdom
wealthy möld-rich
wean spend
weary debaetless, daddit, disjaskit,
  forfochen, ootmaagit, pyaagit,
  pooskered, vyalskit, wabbit
weather wadder
week ook
weekend helly
weep oob, gowl, greet, murn
weighing instrument bismar
Weisdale *(nickname)* gaat
welcome inbös
well enough middlin, owre weel
well-known aert-kent

wet and windy blashy
wet nurse lep-a-midder
Whalsay *(nickname)* piltock
wheatear stenshakker, stenshik
wheelbarrow hurl-borrow
wheeze hurl, whaasle
whelk bucky, wylk
where whaar
whey *(sour)* blaand
whim whid
whimbrel tang-whaup
whine plöt, whinge
whinny nicker
whirl birl
whirr hurr
whisky screecham
whisper hark
white-faced *(cow)* sholmet
Whiteness *(nickname)* gruelly-bag
whittle tweet
who at, wha
whole hale, hale-an-hadden
whose whaase
wicked ill-vicket
wild halliget
wild radish runshie, runshik
wilt dowe
wind *(biting)* snitter
windpipe hass, trapple, wizzen
wink *(of sleep)* blind, blink
wipe dicht
wisp lisk
without withoot

witless glaiket
wonder fairlie, strange
wood-louse sclater
wooer vooer
wool oo
wool *(on sheep's neck)* haslock
woolly ooie
woollen ooen
worse war

wrench (n) runch
wrestle warsel
wretched pör aamos
wriggle sprickle
wring trist
wrinkle lirk, snipper
wrist shackleben
write scrit
wrote wret

Y

yarn *(story)* crack
yarn *(wool)* swaara, taat, wirset
yarrow sholgry girse
yawn gant
year twalmont
yearn grein, virmish
Yell *(nickname)* sheep tief
yelp yalk, yap

yes aye, ya, yae
yesterday dastreen
yolk baa
you dee, du
your dy
yours dine
yourself dysel

Z

zeal trowe-pit

zenith da croon ida lift